로큰롤 헤븐

김태형 시집

청색종이

모래바람이 불었다. 내 몸은 낮게 석양이 저무는 방향을 가리키고 있었다. 낯선 고장에서의 하루는 흔적도 없이 저물었다. 대시인은 그날 오래도록 집을 떠나 없었고 그에게 대답을 얻고자 기다리며 줄지어 선 여행객들은 계속해서 늘어났지만 누구도 함부로 이곳에 도착한 자는 없었다. 자갈밭을 내려가면 작은 강이 하나 있었다. 거기에는 이미 오래전부터 대시인을 만나러 온 자들이 밭을 갈고 물을 길며 살고 있었다. 그들의 표정은 멀리서 날이 어두워 알 수 없었지만 곁에 따라다니는 들짐승들은 온순해 보였고 오두막은 다 삭은 듯 기울어 있었다. 어느새 잠을 깬 흙담 밑 여행객들은 어리둥절한 채 눈을 비비며 오두막 주변으로 모이기 시작했다. 몇 날이 흘러가고 대시인은 오래 돌아오지 않았지만 또 다른 여행객들은 가끔씩 찾아와 이곳에 머물고 다시 몇 날이 흘러갔다.

어느 날 흐린 불빛 앞에서, 김태형

로큰롤 헤븐

차례

완전군장

군장을 다시 챙긴다 느슨히 풀어지는 건
언제나 내 비린 어깨다 날이 금세 기울어질 듯
흠집 많은 나무들은 제각기 햇빛 속
몸 담던 잎들을 거두어 들인다 물 젖은 솜바지처럼
잎들을 결국 달아 둔다 어쩌면
걷는다는 것도 잊었을까
목이 마르다 어깨 밑에 군용양말을 쑤셔 넣고 능선과
능선이 닿아 끊어지는 곳에 짧게 짧게
간단없이 이어지는 길을 본다
이제 다 용서할 수 있다는 것일까
첩첩 줄지어 선 저 등성이의 주름진 굴곡
그 너머 또 으스러지는 잎들은 으득으득 후둑일 것이다
여기서 멈추겠느냐
하지만 몸이여, 으스러져다오
으스러져 길 가득 한 몸이 되지 않고는
끝내 더 갈 수 없는 것
막무가내 무너질 수 없는 것
땀이 될 수 없는 것

한 세상이 길 속으로 죄 빨려 나간 것일까
발바닥에 물집을 터뜨리며 한 길이라는 걸 알았나
발이 있어 가는 게 아니다 씨발씨발 한 모금 물을 마셔도
모조리 바닥으로 흘러내려
후줄근히 길을 적시고 길을 적시니 또 목이 마르다

노란 잠수함

여기는 너무도 고요하다 수면 위 쇠사슬에 묶여
처음 이 길에 들어섰을 때 이 검푸른 두려움 속으로
막무가내 요동치며 흔들렸을 때
이 강철의 덩어리는
한낱 우스꽝스런 누렇게 뜬 비대한 살집에 지나지 않았다
이제 이 흔들림은 너무나도 편안하다
온몸 진저리치며 가라앉는 이 낯선 설렘은
거추장스런 손과 팔 나날의 그 지긋지긋했던 다리와 허리
모두 단단한 갈비뼈 속으로 집어넣고
더 이상 허우적거릴 필요조차 없다
뒤뚱거리지 않아도 된다 이 만만치 않은 포근함은
다 받아내고도 넘치지 않는 이 출렁임은
하지만 가라앉으면 가라앉을수록
두 눈 크게 뜨고 잠시라도 요령을 부려서는 안 된다
이미 말더듬이 혀와 입술은 지워버린 지 오래
고막이 찢겨 귀머거리가 되지 않으려고
틀어막으면 틀어막을수록 두 귀는
새파라니 떨려오는 제 숨소리를 듣고

그럴수록 턱없이 점점 더 바짝 죄어오는 수압
곳곳의 암초와 여기저기 널린 폐그물 더미
거대한 허파를 둘러싼 갈비뼈와
더 아래로 내려갈수록 바닥 없이 밝아지는 두 눈과
오직 견뎌내는 일 견뎌내면서 서서히
밑으로 더 아득한 심해 속으로 숨차 오르는 일
그래 무겁다는 것은 얼마나 숨 가쁜 일인가
가슴 죄는 일인가 허파를 가지고 있다는 이 사실은
그 얼마나 솟구치는 벅찬 설렘인가 이 고요는

낙타의 짐

등 위로 실리는 이 무게는 차라리 편안하기까지 하다
견딜 만큼 무게가 실리고 나면 딱딱한 바닥 꿇었던 긴 다리
가뿐히 일어서야 한다 무게는 한결 가볍기까지 하다
나의 발 나의 메마른 근육은 당당하게 서 있다
모래바람에 길을 잃지 않기 위해 떠 있는 눈
온몸으로 어깨를 만들어 등짐을 받치고
끊임없이 지루하게 펼쳐지는 저 이글거리는 사막 위로
한 발 한 발 내딛어야만 하는 나의 목마름
사막은 거친 모래바람을 몰고와
곳곳에 둥근 사구를 만들고 없던 길을 새로이 만든다
모래바람에 길을 잃고 노련한 채찍조차도 힘을 잃을 때
나의 눈 나의 메마른 다리는 길을 찾아야 한다
몇 날이 지나고 더 많은 날들이 찾아와
늦은 저녁 불을 지피고 하룻밤 천막을 세운다
온몸으로 어깨를 만들어 짐을 진
나의 노역은 힘들어도 결국 짐을 벗은 몸의 갈 곳은
딱딱한 바닥과 긴 다리 힘겹게 꿇려진 비굴함이라는 것을
갈수록 온몸을 죄어오는 이 무거운 무게도

내리쏘는 불볕과 시야를 가리는 모래바람의 사막도
끝내는 나를 거역하지 못하고 내 몸의 한 부분이 된다는 것을
나는 알고 있다 몇 날이 지나고
짐을 벗은 나의 등 위로 다시 하나하나 짐이 오를 때면
감겨진 눈꺼풀과 꿇려진 무릎을 점점 짓누르는
무거운 이 무게조차 더없이 편안해진다 가벼워진다

히말라야시다에게 쓰다

하지만 제 온 곳으로부터 다시 세상 첫 추위가 몰려오는 늦은
저녁
늦은 길 위로 순간 히말라야시다 그림자가 길어진다
금방이라도 토할 것같이 군청색의 남자가 한쪽 길 전부를 쓸
며
지나간다 비듬처럼 가벼이 속잎을 떨어내며 딱딱한 잎사귀
이리저리 서성인다 저녁나절 지그시 돌아서며
어떤 건물 안으로도 들어갈 수 없는 몇 장의 종이 뭉치로
구겨지던 것들 부어오른 위장을 찢으며 우억거리고
한차례 급한 걸음 짐짓 마른 어깨를 짓누르며 멈춰선다
붉은 빛이 겹쳐진다 여태 귀가하지 못한 사람들을 태운 뒤늦
은 차량의 불빛
불빛들 잠시도 멈추지 않고 히말라야시다 검은 몸의 일부를
흩어놓는다 황급히 내 그림자도 따라서 흩어진다
모두들 돌아간 빈 건물 앞 군데군데 사람들이 남긴
자신들의 주소가 끈적하게 게워져 있고 히말라야시다와
내가 서 있는 곳의 간격은 길 하나를 사이에 두고 묶여 있다
어느 목장갑 낀 정체 모를 낯선 손들이 억세게 거머쥔

제 몸뚱이가 이곳까지 실려오면서

애써 흙 한줌 부여잡고 굵은 새끼줄에 단단히 묶인 채 저 나무는

옮겨져야 했을 것이다 한구석 카바이드 포장집 부어오른 위장처럼 불을 켜고

어느덧 군청색의 남자가 허적허적 쓸고 지나간 썰렁한 도로변

급히 지나치는 차량의 불빛에 떠밀려 검은 잎사귀

텅 빈 건물 구석으로 긴 그림자 흩어지고 잠시 동안 내게로 덮쳐와

질질 끌려 집으로 돌아가려는 내 몸을 안쓰럽게 붙들고 있지만

기어코 자기를 살아내는 마지막 체온조차

뿌리 밑으로 차갑게 흘려 보내고

누구도 모를 것이다 히말라야시다 딱딱한 울음처럼 건물들 사이

세상 첫 추위를 불러들여 유록빛 갠지스까지

거친 흙 속으로 뿌리째 얼음을 만드는 것을

내 쭈글쭈글한 허파로부터 숨막힌 굵은 얼음을 꺼내는 것을

그리고 나는 히말라야시다 오래도록 열려 있을 뿌리 밑 차가
운 방

거대한 몸뚱이와 함께 너무 멀리 밀려온 것 같은 늦은 저녁

늦은 길 위로 서 있다 한참이나 서 있는 것이다 히말라야시다

엉겅퀴에 기대다

그냥 엉겅퀴라고 했다
어느 하루 하릴없이 희망이 앞당겨 간
엉겅퀴 살 냄새라도 맡으러
그렇게 나 따라갔었다

꺼칠하니 뜯겨진 건 한 입술이었고
잊어버리고 싶었다 기억마저 뚜렷하다
길은 좁아 발끝마다 젖어 있었고
모래 같은 잔돌 사이로 움찔거리며 따라가는 것
차라리 까마득히 가라앉을
한 미움이었을 것이다

얼마나 결곡한 것이었나
또 얼마나 되돌릴 수 없는 잘못인가

결국 마른 한 장의 잎으로 돌아갈 것들은
다 돌아가 서늘히 몸 아픈 잔뿌리들을 뻗으며
뒤척일 것이다 군데군데 누렇게 뜬

종아리를 떨며

켜켜들 그 앙금들 줄기째 뽑혀 올라오는 엉겅퀴

엉겅퀴 거친 잎사귀에 혓바닥이 갈라지도록

나는 또한 욕될 것이다

용서받을 수 없는 죄를 지을 것이다

구름안교회

청춘의 한 시절을 보내며 세상 속으로 오래 묻어둘 구름 한 점
띄워 보내네 어느새 내 울음은 목을 잃어버리고…… 그때 그 붉
고 긴 혀를 끌고 다니던 황금의 약속들 뜬눈으로 뭉싯뭉싯 물
위로 떠오른 거품들 거리는 나병처럼 조용해졌네 연신 내 비
통한 머리카락 유황불의 연기처럼 솟구쳐 오르고 지붕을 떼어
낸 이글거리는 모래들의 벌판…… 이제 너희들은 멸하지 않으
리라 않으리라…… 경배하던 자들은 어느 강가로 몰려가 뻣뻣
이 방풍목으로 버티고 섰느냐…… 천천히 천천히 등껍질에 말
라붙은 소금 덩어리를 떼어내며 비통하게도 서 있어 버릴까 다
시는 거리로 나가지 말라 나가지 말라던 나의 청춘에 바쳐질
그 어떤 약속도 신탁과 강령도 없이 한 세상 저물었네…… 그리
하여 모든 말씀들의 첫 장이 소실되고…… 갑자기 호흡이 멈추
면 어떻게 하지 심장이 클클클 쏟아져버리면…… 그러면 그러
면 고이 묻힐 수 있을까 입안에 텁텁한 흙덩이를 꾸역꾸역 가
득 채우고 내 살을 천천히 갉아먹을 그런 징그러운 벌레들을 보
게 될까…… 나는 한때 안식을 가졌었고 또한 나는 파르라한 입
술을 가졌었네 나의 구름들은 언덕까지 몰려가 넓은 구덩이
를 파고 큰 삽을 든 인부들의 두터운 손바닥이 황혼 속에 천천

히 움직이는 동안 일찍이 말씀을 경배하던 자들은 소금 바구니
에서 꺼낸 마른 빵을 던지고 나는 좀더 편안한 안식을 구덩이 속
에 던져주며 말하고 있었네…… 폭풍의 날들이 지나갔고 울음
을 가시처럼 꼿꼿이 세우며 떠난 벌거벗은 여행객들을 알고 있
었네 거리에서 쓰러져 어디론가 실려간 자들 한 시절을 나는 예
감했네 무리지어 한 세상 건너가는 모래의 행렬 모래의 피리 소
리…… 버석버석 마른 일용할 양식을 오래오래 씹으며 나의 선
지자들은 깊은 우물을 파고 있었네 파르라한 입술처럼 그리고
말씀들의 첫 장을

구름밖교회

그러니 어리석겠구나 어디 가 닿을 곳 머물 필요도 없는 곳으로 반편 잘려나간 잠이라도 한 시름 편안하거니…… 이미 몰락한 저 구름들 우르르 몰려가는 행렬들 저 모래언덕의 흩어지는 마른 울음 속으로…… 한참을 그렇게 넋 놓고 쏟아지겠구나 뭉개진 먼지 냄새 풀풀 풍기겠구나 그러면 좋겠지 내가 이곳에서 사는 동안 질질 끌고다닐 묵은 흙먼지들 그렇게 서성이다가 한 가마니 떨어내는 울음들…… 골목으로 돌아나가는 헐은 신발 뒤축과 그만큼 닳고 닳아 기우뚱거리는 저물녘의 길과 해마다 발바닥에서 뽑아내던 굵은 채찍…… 끔찍하여라 내 발자국의 흉터 여기 신산스러움 속으로 몇 번씩 밟혀오는 구름들 여기 또 한 켜 한 켜 얹히는 전언들…… 어디 쌓이고 쌓여 후우우 날리는 잠이라도 자 두겠구나 그래도 진흙으로 머리 감을 줄 알았던 시절 한 얼굴씩 빗어 내려가는 세월들 이렇게 눈떠 버렸으니…… 거칠게 쓸려 내리겠구나 누렇게 벌어진 울음 울며 굼실거리겠구나 아프겠구나…… 깨진 유리창에 머리를 내밀고 그대로 목을 놓아버릴지도 몰라 내가 사는 동안 멈추지 않을 핏물 든 목줄기 흰 옷깃을 계속해서 적시겠지 혐오감에 괴로워하지 않고 냄새로 얼룩지지 않을 그런 붉은 정신을 나 사는 동안만 갖고 싶겠지…… 진

흙강 한 바가지 퍼담는구나 그래서 질긴 머리채 빗어내리는구나
형극의 잠은 얕아지고 얕아질수록 아름다워지는 신음들 그래 나
어디 그만 놓아버리고 싶어 잠시 딴 데 한눈 팔다 무릎을 오그리
고 한나절 지워지는 시선들…… 그렇게 목 놓겠구나 아리겠구나
그만 덩그마니 구름들이 놓아버린 나날들 모래바람의 세월 속으
로 나 불어가겠구나 어디에도 얹혀질 수 없는 헐거움과 함께

파사 ^{巴蛇}

필시 저놈은 뭔가 대단한 것을 삼켰다
날름거리는 혓바닥이 지옥에까지 이르러
눈매를 꼿꼿이 세우고
때를 기다리듯 비늘은 더욱 윤기가 흐른다
빳빳이 쳐든 대가리는
연신 혓바닥을 날름거린다
저 먼 데 핏빛은 차라리 이곳의 싸움이었다
통째로 먹이를 삼키는 것보다
삼킨 먹이를 삼 년간 삭이고 삭여 낱낱의 뼈로 내놓는 일
그렇다고 어둠이 통째로 저놈이 내놓는 뼈만
고스란히 가져가는 것은 아니다
홀가분히 풀잎을 스치며 제 몸 가지려면
그만한 대가는 있어야 한다 그게 더 큰 일이다
바짝 독이 오른 어금니로 먹이를 물어뜯을 때야
뭔가 저놈도 믿는 구석이 있었을 테다
아니면 어찌 겁도 없이 한 입에 삼킬 것인가
필시 뭔가 기다리는 게 분명하다
저놈의 혓바닥이 어둠을 핏빛으로 이끌 때

제 온몸으로 어둠 속에 삼켜지는 것이다
그렇게 제 속의 뼈를 내놓겠지만 정작
연신 혓바닥을 날름거리며 버텨내야 하리라
어둠이 송두리째 대가리며 미끈미끈 몸통까지 한꺼번에
모조리 녹여 린다면 끝장이다
온몸으로 차가운 독이 되는 어둠 속
때를 기다려 저 아가리 속 스스로 삼켜져서야
저 먼 데 핏빛은 이곳에서 완성되리라
저 징그런 혓바닥이 지옥에까지 이른다는 것을

늙은 수캐

무얼 버려도 버려질 땐 함부로 버려지는 모양이다
그러나 나는 안다 함부로 버려지는 것의 비애를
다 깊은 밤 청소부의 욕지기로 쓰레기통이 비워지고 나면
골목 한 귀퉁이 보안등 불빛만 남는다
이 길을 잘 알고 있다 코를 킁킁거리며 개들이 어슬렁
어슬렁거리는 길 마냥 되는 일 없어
늦기만 한 새벽 귀가길 기억한다 그놈의 개 한 마리
지친 어깨를 하고서 종종 내 옆을 지나치곤 했다
덤벼들까 경계의 눈빛을 감추고 태연한 척 지나치지만
골목을 다 빠져나가도록 내 뒷머리에 그놈은
앞발을 척 내딛곤 했다 여전히 그놈은
나를 기다리고 있을 것이다 아직 함부로 버려져
청소부의 욕지기로 밤이 다 깊지 않은 이곳
한때 쓰레기통에 코를 박고 킁킁거리다
급기야 죄 엎질러놓던 개 한 마리
그놈의 비위를 건드려선 안 된다
조심스레 지나치려 할 때 메마른 근육을 잔뜩 긴장시키며 그
놈은

마구 짖어 대기 시작했다

그런 힘이 대체 늙고 지친 그 어디에 남아 있었을까

쓰레기통을 뒤지던 제 모습을 들키자

이빨을 드러냈을 것이다

스적스적 들어선 다 늦은 길 너무 조용하다

때로 어슬렁거리고 때로 짖어 대야 할 어둠

보안등 불빛이 채 끼어들지 못한 어둠 속

분명 무언가 있다 저 한 구석 뻣뻣이 드러난 이빨

그놈이다 그놈이 죽어 있다 저렇듯 제 죽음에까지 이빨을 드
러내다니

오히려 저 지친 죽음에게 내 어딘가 들켜버린 것 같아

함부로 버려진 비애 끝끝내 버려질 수 없는 비애를

이제야 내가 미친 듯이 짖어댈 차례라는 것을

올빼미

늙은 고목에 보풀보풀 솜털 날리는 둥우리에
저녁이면 뒷머리 무겁게 잠에서 깨어난다
낮게 구릉을 타고 바람의 목덜미를 채어 한껏 날아오른다
천천히 빽빽한 나무숲 잔가지 사이
붉게 물든 석양을 건드리면서
날개는 힘차게 허공을 당겼다 놓아주면서
바람을 타는 일 바람을 타면서
천천히 탐색하는 일
후각은 냄새를 잡아내고
여지없이 한 줄 바람은 그것을 말해준다
어둠은 한 몸으로 두근거리기에
너무나도 적확하다 숨죽여 두근거릴수록
심장은 한 줄 바람 속까지
혈관의 끝자락을 연결한다 날카로운 부리와
감춰진 발톱의 정신은 한껏 떨리는 바람만이 알고 있다
어둠은 그것을 실어나르고
먹이는 그 길을 따라 마지막 몸부림을 친다
가장 힘겹게 버텨야 할 단 한 순간 비행의 정점에

웅크린 불안과 드러나는 긴장이
어둠으로 이어진다 푸드득 목덜미를 채어 움켜쥔 발톱
한 번 더 힘을 주면서 날개는 다시
바람을 타고 바람은 터질 듯한 심장과
발 밑에 뜨겁게 멈춰진 박동 소리 함께 밀어낸다

거미를 두려워함

거미줄에 거미가 매달려 있다 아니 그것을 타고 있다

가만히 들여다보고 있으면 대번 드러나는 숲길

조금만 더 들여다보면 거기 하지만

그리 쉽게 들어설 수 없는 곳 거미가 있다

그래 다시 들여다보자

꿈쩍도 않고 허공에 매달린 저놈 좀 봐

길 옆 썩어 빈 껍질로만 남은 산열매 부스러기를 주워 슬쩍 던
져본다

허공이 이미 허공이 아니듯 순간

가느다란 다리가 튀어나와 그것을 덮친다

잠깐 만지작거리다 마른 삭정이 거미줄 밖으로 밀어낸다

허공을 자기 것으로 만들 줄 아는 거미는 흔치 않다

집요한 침묵은 바람과 먹이의 출렁임을

각각 잘 구별해낸다 허공이 이미 허공이 아님은

가득한 고요함에 있다 거미는 거미줄만으로

허공에 집을 짓는 건 아니다

무겁거나 가벼운 것까지

매우 잘 절제돼 있다 하여 허공은 집요해지고

바로 그곳에 침묵이 거처할 자리가 만들어진다
가만히 들여다보고 있어도 보이지 않는 두려움이 있다

파리

어디서 이렇게 귀찮은 것들이 몰려오는 걸까
파리 한 마리 내 방안에 들어와서는 어쩌려는지
그리고 보면 파리들이란 냄새를 따라다닌다
찐득찐득한 냄새거나 비릿한 냄새
진종일 쉬지 않고 어디서든 날아든다
파리 한 마리 내 손등 위에 들러붙어 있다
에이 더러운 것 이 몹쓸 귀찮은 것
생각이 미치기도 전 내 몸은 흠칫 반응을 보인다
파리는 황급히 날아간다
윙윙 이 날개 소리 귀찮기만 하다
구석구석 손톱자국 벅벅 온몸이 다 가렵다
파리란 원체 아무데나 들러붙기는 한다
가만 생각해보면 얼마 전 화단 나무궤짝
거름으로 쓰려고 생선 내장 대가리
온갖 썩은 찌꺼기를 흙 속에 슬쩍 파묻었던 일
거기에도 파리들은 날아들었던 것이다
언제였는지 허연 구더기들이
꼼지락꼼지락 기어다녔던 것도 같다

그것들이 윙윙윙 알을 슬어 놓던 파리
온갖 썩은 시체 파먹고 자란 파리 새끼였다니
그럼 내 몸에서도 지금 썩은 냄새 풍기는 걸까
턱 때려잡아도 벅벅벅 종일을 근질거릴 뿐
어디서 날아오는지 모를 파리 한 마리
어느새 알을 슬었는지 허옇게 일어나는 살갗
아예 온몸에 척 들러붙어 근질근질 기어다닌다

두 마리 쥐

온전히 몸 숨길 수 없다면 들키지 않는 한 제 아무리
굵은 각목이라도 지레 겁먹어 피하지 않는다
구석에 바짝 몸을 도사리는 발바닥과 두근거리는 가슴팍
지면에서 올라오는 차가운 습기는 어둠을 살찌운다
어둠은 곧 날쌔게 뛰쳐나갈 구석을 향해 열려 있어야 한다
이게 뭐야 이게 뭐야 질겁을 하는 사이
한 마리 쥐가 마구 들쑤셔대는 낯선 손을 피해
마른 햇빛 속 한 덩이 어둠을 끌고 달아난다
조심스레 앞발로 주둥이로 갉작거리다가
허옇게 눈 못 뜬 징그런 새끼들을 주질러놓으면
차갑게 치미는 밑바닥의 서글픔까지도 어둠은 살이 찐다
굵직한 각목에 채여 한 마리 쥐가 죽어가도
들키지 않는 한 구석에서 한 마리 쥐는 남는다
한 덩이 비애가 울컥 달려들고 굶주림은 피 냄새 속에서
다시 시작하지만 불안조차도 좋은 먹이가 되고
뭐 좀 없나 찍찍거리다가 죽은 한 마리 쥐가 토해낸
피 냄새까지 그 뒤를 조심스레 찍찍거리다가
알았을 것이다 비릿한 피똥이라도 찢어지게 내지르려면

한 덩이 비애로운 제 몸 숨길 어둠조차도 갉작갉작

갉작갉작 뭐든지 또 욱여넣지 않으면 안 된다

소금의 몸

먼저 뒤돌아보지 않아도 이미 등 뒤에 남은 사람들
먼지기둥으로 붙박혀 있음을 알기에
가는 길 멀고 고단한 것을 알 수가 있는 것이다
그러나 돌아올 길은 있는가
잘못 든 길에서 떨어져 한 귀퉁이 으깨지고 닳아져
껍데기만이라도 돌아올 몸은 있는 것인가
남은 것들 죄다 먼지기둥으로 붙박아두고서야
길 떠나는 자의 심정은
또 얼마나 차갑고 고된 것인가
물러 터지고 아무 데고 함부로 몸을 굴려서는
섣불리 그 어디도 한 걸음 다가서지 못한다
강 건너는 사람 그 무거운 짐
젖은 솜덩이에 싸인 소금과 같거늘
갈 길이 멀다는 것은 무거운 짐 지고서도 오래 견뎌낸다는 것
인지
길 떠나는 것은 결국 길 끝에 선 그 길 끝으로 다시 돌아가기
위함인지
먼지기둥 앞에 한 사내는 알 것이다

뼈아픈 회한과 떨리는 손끝이 몸을 만들고 몸을 지운다

어느 한순간 녹아들어야 그 몸 물 밖으로 되돌려지는 것을

커트 코베인 듣는 밤

알코올 중독과 약물 과용으로 최후를 맞이했던 기타리스트
스티브 클락을 들을까 교통사고로 한쪽 팔을 잘라낸
외팔이 드러머 릭 알렌의 스틱 소리를 들을까
사람들 모두 다 잠들어 아무도 없는 깊은 밤 그는
낡은 턴테이블의 플레이 버튼을 누른다
삐걱삐걱 카트리지가 움직이는 동안 이 짧은 숨막힘은
견디기 힘들다 로히프놀 헤로인 하시시 필로폰
서서히 느리지 않게 잦아드는 신음과
온몸을 고통스럽게 웅크린 채 죽어갈 수만 있다면
그는 천천히 자신의 두 귀를 심장 속에 묻는다
여기서는 단 한 줄의 시조차 쓸 수 없다
십이구경 권총의 차가운 방아쇠를 당긴 저 미친 듯이 저 숨막
히는 절규를 들을까
검은 엘피의 가장자리로 몸을 부르르 떨며
투욱 바늘 끝이 떨어지려는 순간 그는 서둘러 정지시킨다
입력절환 버튼 시디를 누른다 디스크 트레이 속
빨려 들어가는 얼터너티브 밴드
지금은 볼륨을 최대한 올릴 때 오직 분노만이

견뎌낼 수 있는 정적을 만들 때 네버마인드 플레이

끝까지 올라간 풀 레인지 레벨

바닥까지 미친 듯 쿵쿵 들어 올리고 스피커마저 이 지독한 정
적을 견뎌 내지 못한다

그러나 다시 태어나고 싶지는 않다

내 심장은 내 자궁이야

그래 자궁 속으로 심장 속으로

누군가 한밤중 깨어나 악다구니 소리 씩씩 신발짝 끌고 현관
문 두드려대는 소리

힘겨운 환멸 속에서는 아무것도 들리지 않아

지금은 너무 깊은 어둔 밤 그는 울컥 핏덩이를 토해내며

탯줄에 엉긴 듯 몸부림치며 스멜스 라이크 틴 스피리트

짐 모리슨 듣는 밤

일찍부터 빈 자리 하나 없는 우드스탁을 돌아 나와
퍼펙트 셀렉션 그녀는 도어즈의 좁은 이층 문을 당긴다
온리 타임 윌 텔 그녀는 무료하다
고작 이렇게 남겨졌을 뿐 추억도 사랑도 광란의 밤도
다 사라져버렸다 일그러진 이마를 감추듯
그녀는 푹 고개를 떨군다 그렇게 죽어버리다니
빌어먹을 탁자 위에 담배 필터를 탁탁 치고
어둠 속에 불을 당겨 폐부 깊숙이 그녀는
한 모금 연기를 빨아들인다 입술까지 타 들어가는 소리
힘겹게 새어나오는 신음처럼
어둔 문이 삐걱 열렸다 닫힌다 갑자기
믹 재거가 흐느끼듯 괴성을 지르기 시작한다
여긴 음악이 형편없어 할 수 없지 그래도 도어즈잖아
우드스탁에 들어가지 못한 사람들 여럿이
뒤늦게 자리를 잡는다 그녀는 신경질적으로
루즈 묻은 담배를 비벼 끈다 롤링 스톤즈가 계속 돌아간다
케이슈크 시주카 요코 유키코 헐값에 사 모은 엘피들
그녀는 무릎 사이 길고 가느다란 손가락을 넣고

매끄러운 허벅지를 쓸어올린다

그 위로 그녀는 작은 핸드백을 올려놓는다

오렌지빛 립스틱 박하향 담배 한동안 줄어들지 않았던

러미날과 니브로울 도쿄행 항공 티켓 한 장

그녀는 툭 핸드백을 닫고 허벅지를 허옇게 드러낸

스커트 자락을 슬며시 쓸어내린다

백색 조명과 카메라 앞 하나하나 찢겨진 자신을 떠올린다 웨
이팅 포 더 선

라이트 마이 파이어 물 속으로 점점 짓눌려 질식사 하는 그녀

그녀는 짐 모리슨의 시를 중얼거린다 음악이 끝났을 때

등불을 모두 끄는 거야 그녀는 간신히 일어나

주위를 둘러본다 휘청거리듯 다시 주저앉는다 디 엔드

락 매니아 케이스 바

그는 선반 위에 올려진 마란츠 앰프를 켜고
축 늘어진 볼륨놉을 서서히 끌어올리기 시작한다
새로 구입한 컴팩트 디스크의 비닐 껍질을 벗기고
벌려진 트레이 속으로 슬쩍 밀어 넣는다
꽉 들어찬다 그는 오늘도 변함없이 그녀를 기다린다
도쿄 돔 공연에서 깁슨 기타를 끌어안고 끊어질 듯
끊어질 듯 신음하는 슬래시가 다시 보고 싶다던 그녀
흰색 와이셔츠와 무릎 아래까지 바바리를 덧입은
레이어드 룩 매니시 풍 가끔 그녀는 재봉선을 겉으로 박아
바디 라인을 고스란히 드러낸 재킷을 걸친다
검정 판탈롱을 매치시킨 회색의 소프트한 이미지와
블랙의 단정한 리듬 저녁 다섯 시 반
그녀는 언제나 외톨이
그녀는 부드러운 밀러만 마신다 첫날부터 그는
잔뜩 병째 흔들어놓았던 밀러를 그녀에게 가져간다
이것 좀 따 주시겠어요 그녀는 이것 좀 하며
밀러 뚜껑 위에 손바닥만큼 걸쳐진 흰 냅킨을 가리킨다
슬쩍 파인 촘촘한 니트의 회색 조끼 그러나 그 속엔

아무것도 입지 않았다 언뜻 드러나는 바스트 라인

차라리 순결하기까지 하다 그는 우선 냅킨을 벗겨내고 밀러 주둥이를 움켜쥔다

잔뜩 흔들어놓았던 밀러 뚜껑이 찍 터진다

기분 좋게 흘러내리는 거품

한동안 그녀는 톤 온 톤 코디에 헐렁한 군화만을 고집했다

편안한 느낌의 타이트 롱 스커트 아이보리색 시원한 박스 티와 적당히 긴장감을 불어넣는 멜빵

그러나 언제가부터 그녀는 오지 않는다

간혹 늦은 시간 무엇엔가 홀린 듯 비틀거리며 들어서던 그녀

이게 뭔지 아세요 그녀는 이게 뭔지 아시냐구요

하며 핸드백을 열고 무얼 찾는지 유리병에 가득 담긴

분홍색 알약들 죄 엎질러만 놓던 그녀 그녀는 대체

무얼 찾으려 했을까 아주 이곳을 떠나버린 건 아닐까

자정을 넘겨 문을 닫기 전 그는 마지막 곡을 튼다

잔뜩 발기한 볼륨놉을 서서히 끌어내리고 그는 은밀히 모아놓은 병뚜껑을 샌다

락 페스티발 퍽 유

이제 곧 시작이다 해변의 모래사장을 어지럽히던 발목들

초저녁부터 몰려들어 맨 앞자리를 차지하려던

엉덩이들 검붉게 탄 어깨들 둥굿 솟아오른 젖가슴들 드러난
배꼽들

태양의 줄기처럼 억센 한쪽 팔은 슬며시

그러나 힘있게 가는 허리를 감싼다 섬머 페스티발

서서히 조명을 달아 올리는 가설무대 한켠으로

이글이글 타오르는 등 뒤의 석양을 대신한 눈빛들 한없이 섬
세한 손가락들

그아아앙 징징 일렉트릭 기타를 두르고

한번 가볍게 긁어내리는 사내

이제부터 퍽 유 해변의 락 페스티발

그런지 하드코어 펑크 락 사이키델릭 트윈 기타

머리를 박박 밀어 버린 여성 보컬이 첫 무대에 등장한다 그룹
겟 잇 업

곧 모래사장이 빈 틈 하나 없이 꽉 들어찬다

모두들 술렁거리며 환호성을 질러대기 시작한다

마이크 스탠드를 거머쥔 여성 보컬 그녀의

거의 교성에 가까운 흐느낌과 함께 희고 가느다란 손가락들은

연신 위아래로 흐느적거린다 때를 맞춰 드문드문

노랗게 물들인 머리를 치렁치렁 흔들며 아예

웃통을 벗어 던진 근육질의 퍼스트 기타리스트는

오른쪽 가운데 손가락으로 기타줄을 누르고 지판 위를

아래위로 미친 듯 비벼 댄다

드디어 조명이 들어오기 시작한다 연이은 모던 락 밴드

이어서 무명의 헤비메탈 트래시 얼터너티브

보컬과 기타를 겸한 사내는 제 몸부림에 한 발을 실어

마이크를 걷어차고 한쪽 무릎을 꿇은 채 엑스터시 속으로 빨
려 들어간다

연신 구호를 외치듯 치켜든 손목들은 실성한 듯 출렁거리며
땀을 흘린다

마지막 밴드가 연주를 마치고 무대를 떠나도

몇몇은 한켠에서 계속 흐느적거린다

섬세한 손가락과 가는 허리 번들거리는 허벅지들이 저마다

어디론가 사라지고 한줄기 바닷바람은

비릿하게 또 어디론가 슬며시 불어간다 이제 다 되었다

그런지 보이

넌 마치 꼭 맞는 빅 존 청바지를 입은 일본 모델 같아
생머리를 업스타일로 쓸어 올린 전속 모델 사치코처럼 말야
얇은 입술은 살짝 깨물어주고 싶을 정도로 귀여워
그런데 넌 왜 헐렁한 티만 걸치고 다니는 거니
두 손에 살짝 들어올 듯이 가슴이 앙증스럽게 예쁜데
타이트하게 착 달라붙는 거 있잖아 그게 더 어울려
그렇다면 너 좋을 대로 해 하지만 난
헐렁헐렁한 건 질색이야 짧은 스커트라면
주름져서 너풀거리는 게 좋기는 해 넌 다리가 날씬하니까
잘 어울릴 거야 요즘 일본에서 유행하는 게 뭔지 아니
팬티를 노출시키는 거 말야 캘빈 클라인에서
참 기발하지 않니 바람에 슬쩍 드러나는 것 따위와는 달라
허리춤을 살짝 틀어서 팬티를 노출시킨다는 거야
기가 막히지 그런 걸 가만 놔두고 싶겠어
우악스럽게 달려들어 스커트를 찢어발기는 남자의 손길
난 그런 것들이 좋아 패션에는 뭐랄까 마치
폭력을 유발시키는 어떤 유혹이 있어 마구 찢어발기고
단번에 벗겨내도록 만드는 잠재된 욕망

가끔 나도 그럴 때가 있어 넌 언제나 퍽 메탈이라고 새겨진

헐렁한 티만 고집하니까 예전엔 널 만지고 싶어서 미칠 뻔했

어 헐렁한 거

난 정말 질색이야 그래서 처음엔 네 옷을 마구 찢었던 거야

넌 겁에 잔뜩 질려 있었어 솔직히 말해 봐

내가 느닷없이 달려들어서 미친 듯이 찢어발길 때 어땠니

난 알 수 있어 네가 마구 발버둥칠 때도

그걸 즐기고 있었던 거야 넌 마구 내 등을 할퀴어대면서

펑키 걸

이런 건 아니었어 그 새끼한테 걸리지만 않았어도
이렇게 비참하게 구역질 난 삶은 아니었을 텐데
왜 그랬을까 빌어먹을 알 수 없지 그땐 내가 열일곱이었으니
그저 몇 달 같이 살아줬을 뿐이야 겟 어웨이
그것뿐이라구 다시 집에 들어가길 잘했지
차라리 집은 말이야 더 자유가 있었다구
아무 때나 뛰쳐나올 수도 있어 그래 이젠 나에게
그 누구도 더 이상 아무 소리 안 해 또 나가버리면
그래 히히 나 좀 취했나 봐 다 귀찮아 사는 게
약을 줄여봐도 소용없어 다음엔 더 많아져
몸이 자꾸 떨려 나 좀 안아줘 아니
잠시 동안 그냥 안아 달란 말이야 제발 더듬지 좀 마
싫단 말이야 그냥 가만히 안아줘 그냥
그냥 안아만 달라구 좋아 너 하고 싶은 대로 해
마음껏 만지라구 개새끼 넌 고작 개새끼야
싫어 이것봐 왜 그래 아이 싫단 말이야
지금은 안 돼 이따가 우리 이따가 다른 데 가서 해
난 지금 그냥 안겨 있고 싶을 뿐이야

48

다 귀찮다구 그런데 너 그년이랑 아직도 같이 사니

그냥 만지기만 해 제발 손가락은 집어넣지 마

그년한테나 가라구 꺼져버려 더러운 새끼 겟 아웃 겟 아웃

단지 넌 지저분하게 놀지만 않으면 괜찮아

넌 냄새가 좋아 아이 내가 너무 취했나 봐

젠장 모르겠어 기분이 이상해 하지만 여기선 안 돼

메탈 지프

난 저 막돼먹은 아드레날린 중독자들과는 다르다
침침한 지하에서 괜히 밀려 빈 병을 깨뜨려대는
녀석들과는 다르다 짧은 가죽치마 긴 머리 웨이브
한차례 흠뻑 땀에 젖어 번들거리는 허벅지
격렬한 리듬에 맞춰 출렁거리는 젖가슴
발가락까지 뜨겁게 커널링거스 달아오른 숨 귓속까지
크라잉 아니 난 지금 유시키의 목소리가 미치도록 듣고 싶어
아무도 없는 데서 어라이브를
어때 이 매캐한 휘발유 냄새
온몸의 성감대를 구석구석 단번에 찾아내는 엔진의 진동
난 함부로 지껄여대는 개새끼들과는 다르다
비좁은 데서 헐떡거리는 것들과는 다르다
진짜는 그런 곳에서 듣는 게 아니야
비까지 내리잖아 시속 백칠십오 엔드리스 레인 엔드리스 레인
이젠 메탈리카를 들을까 레드 핫 칠리 페퍼스도 좋지
빗속으로 시속 백구십 이백 어때 숨쉬기조차 힘들지
마구 벅차 오르지 볼륨을 조금 더 올릴까 더 세게 달릴까
넌 아주 예뻐 마음껏 소리 질러도 괜찮아

그래 넌 이미 찢어졌지 아픈 데 외로운 곳
너의 상처 이젠 끝이라구 울지 마 곧 끝이야

모터사이클 온리

오늘밤엔 잠옷 같은 슈미즈 스타일의 탑을 걸칠까

베이비돌 드레스를 입을까 빨간색 리본에 에이라인 블라우스

아니면 그를 위해 주르르 단추 달린 점퍼 원피스

음악은 둠이나 데스 계열 때론 블루지한 보컬

매력적인 어쿠스틱 사운드의 신예 밴드

가끔은 인디 레이블 출신의 게릴라식 폭음이 더 좋다

요즘은 베이스 인트로 부분만 들려도 흥분돼

잠깐이라면 에스티비의 갱스터 랩도 괜찮을 거야

곧 그가 도착하겠지 레오 까락스에 미쳐 있는 그 남자

그는 데니 라방을 닮았다 난 빔 벤더스가 더 좋아

하지만 우린 서로 짐 자무쉬를 좋아하지

타란티노는 글쎄 그는 좋아하는 것 같은데

잘 모르겠어 아마 그도 점점 변해가는 것 같아

시는 이제 더 이상 쓰기 싫은가 봐

자기는 뛰어난 극작가일 뿐이지 시인은 아니라는 거야

그러나 그는 결국 시인일 수밖에 없다

두려운 건 아무것도 없어 오직 나 자신이 두려울 뿐

그의 모터사이클엔 백미러라는 게 아예 없다

뒤를 돌아볼 필요가 없으니까
오늘은 랩스커트를 입었으니 그는 아마도 돌발적인
어전트 체위로 할 것 같다 그날 입은 옷에 따라
바뀌게 되거든 올리버 스타일엔 아스트라이드
더티 진엔 렉스 오버 간혹 크로울이나 스탠딩 캐리
그는 오늘밤 아주 멀리까지 가고 싶다고 했어
이 허망한 슬픔의 무게를 느껴볼 수 있는 곳이라고
절벽 밑이든 바닷속이든 그 어디든 허망할 뿐이라고

얼음집

얼음의 집이 있다 그리고 빈 깡통같이

날카롭게 웅크린 고요가 허기진 코를 킁킁거리며

겨우겨우 기어 나와 푸른 목마름을 일구는 동안

목마름이 아니고서는 들어갈 수 없는

그 집에서의 하루는 여전히 흐른다

세간의 문을 열면 달빛을 받아 길을 찾는 지친 짐승들

갈증 난 혓바닥이 허겁지겁 들어오고 혓바닥의 거친 갈증으로

그 집은 계속해서 흐른다 흐른다는 것도

녹아 들어간다는 것도 날카롭게 모두 씻어내며

그 집은 점점 싱싱하게 쭈그러든다

목마름만이 그 집을 더욱 단단하게 흐르게 한다

먹이를 찾아 날쌔게 달려들어 움켜쥐고

갈기갈기 찢어발길 먹이들

움직이는 대상은 보이지 않고

물 냄새도 살 부비는 잎 그늘도 아닌데

길 잃은 짐승들이 가끔씩 찾아와 벽을 긁어대며

다 잡아먹을 듯 덧난 이빨처럼 성급히 달려들어

부러진 발톱 자국을 성급히 새기고

다시 제 목마름 속에 떠나가지만

어느 날 또 다른 짐승이 찾아와 그 집을 천천히 핥으며

목을 축이면 이내 흉흉한 자국조차 그 집으로부터

녹아 흐른다 꽝꽝 얼어붙은

목마름을 단단한 목마름으로 다스리며

이제 그 집은 사라질 것이다 긴 울음소리도

축 늘어진 허기도 단지 그 집으로 들어가

조용히 녹아 들어갈 것이다 목마른 짐승들의 혈관 속에

거친 혓바닥으로 점점 흙빛을 닮아가는 그 빈 집은

석양까지 개들을 데리고

저녁의 누런 개가 물어뜯는 강의 하류까지 다가간다
내 속에 누운 너를 천천히 허물어뜨리며 엉겨붙는 개흙덩이
쉴 새 없이 풀잎들은 버석이고 놀란 듯 솔방울 하나
투욱 떨어진다 물살 드센 포구쯤 어디
세월에 닳은 슬레이트 지붕 위로
꼬들꼬들 널어놓은 생선보다 더 오래 바짝 찌들어갈
이 붉은 거친 손가락들을 천천히 오므린다

함께 데리고 나간 개들은 멍하니 석양까지 짖어대고
그런 망각을 나는 놓아줄 수 없는 것이다
이 멍한 시선을 끌어 바라보는
내 속에 누운 너의 살덩이를 네 문드러진 입술을
이제 꺼내가겠니
내가 데리고 있던 숱한 비음의 말소리로 너는 남고
기우는 한점 바람에도 날뛰는 개처럼
어리석었으니 오래 아플 깊은 병을 하나 얻을 것이다

석양은 개들이 짖어 대는 어둑한 저녁 속에 자취도 없고

그런 망각을 나는 붙드는 것이다
어느 저녁 강변을 비껴 우북하니 새털구름은 흘러가고
강은 검붉게 반짝이는 뻘밭을 드러내 보여주고
꺼내갈 수 없는 망각을 붙들어
더 먼 석양까지 나는 오래 세월에 비껴선 것이다

청라길

　진종일 먼지와 햇빛에 뒤척이는 그 길의 조금 비껴선 샛길 버드나무길이나 은백양나무길 결국 청라에 이르는 길은 무수히 갈라지고 어긋나는 것들까지 다 거느리면서 아름다운지 모른다 남루한 하루 해가 덧칠해진 문짝처럼 세월에 밀려 있을 뿐 갈 수 없는 것들만 슬며시 무릎을 당긴다 여기가 거긴가 물어 물어 손끝을 따라가면 다시 손끝에서 머뭇거리고 불려지는 이름들 속에서 가 닿으면 세상 끝진 데 길은 없어 목 놓아 부르는 순간 청라는 없다 일몰은 늘 그렇게 저녁 굴뚝 연기 파묻고 있을 뿐 한참을 서성이다 뙤약볕에 무리지어 군락을 이루던 잡풀들 뿌리까지 바싹 타들어가는 가뭄에 바람마저 먼지 속으로 가라앉아 있다 청라에 길 잃은 발길이 있어 아무도 그네의 걸음에 밥상 위 수저 부딪치는 소리 달그락 설거지하는 소리 낮추지는 않는다 세상 외지고 투박하니 걸려진 간판들 이름만으로 멀리서 길은 또 그 어디를 다다르려고 이토록 무수히 길 거느리는지 가만히 들여다보고 있으면 무언가 마구 몸 던져 건너가는 것 같아 일몰이 사방을 가두고 스스로 빨려드는 순간 마음이 가 닿으면 이름만 남을 뿐

세헤라자드

날이 어두웠다 길 지나는 곳 긴 행렬을 따라 집집마다
매운 불을 지핀다 한번도 짐을 풀지 않은 비단과 갖가지 향료
어린 대마 잎의 황홀까지를 다 엮어내기에
날은 짧고 길은 먼 그런 이야기들 천 날의 밤과 낮
한 장 붉은 카페트에 수천 날의 실과 먼지가 함께
무늬를 짜고 굳은 손끝에서 매만져지면서
여인네들 낮은 노래 소리처럼 날이 어두웠다
아침이면 저 행렬은 어디까지 이어질까 제 발자국일까
모래바람일까 그럼 나는 나는 어느 먼 기억일까
두꺼운 책을 뒤적거리다가 한 모금 누군가
목을 축이는 소리 낙타 목에 걸린 방울이
바닥을 쓸며 시간의 주름 위를 흘러나오는 소리
더운 입김이 따뜻한 손길이 달그락거리는 저녁과
긴 행렬을 따라 책장을 넘기면 넘길수록
더 두꺼워지기만 할 뿐 섣불리 날이 밝아서는 안 된다는 것
오래 기다려온 한 시름이 있다면 멀리 비단과 향료
어린 대마 잎의 등짐 속으로 실어 보내야 할 텐데
책장을 덮으면 보일 듯한 그 어디쯤

여전히 그리움과 버려진 비애가 있을 테지만

찾는 이의 마음은 서슴없이 사라진 노래에 실려지는 것

끊어진 한 별자리를 이어주며

바람의 주름 실과 먼지의 켜를 한 올 한 올 짜내어 흘러나오는
노래

어둠이 그 일단을 받쳐주듯 그 환한 비의까지를 다해

명사십리

여기 왜 바닷물 드나드나 잇기다 끊긴 이 길 속곳도 제대로 챙
겨들지 못하고 도망친 계집으 발자국만 같아서 해 다 이울도록
나 벗어나지 못하네 왜 여기 눈 멀어 주저앉나 젖어 버리나 지랄
이겠네 비단치마 찢어 책 한 권 묶어 줄 고런 계집 아니어도 길
머네 뭉클하겠네 잦감도 없이 이렇게 종일을 바닷물이다가 눈
까지 멀어 지랄이다가 더듬더듬 나 밤길 짚으이 갈 길 멀다 하여
잔발 재게 어둑발 훔키려 할 제 허어 고 계집으 사뿟사뿟 고운
발목만 같아서 이 길 또 처량이네 누군가 술 한 잔 따르네 어이
자네 소리 한번 허지 그래 왜

장산곶

　장연이라던가 몽금포 어디 조기가 잘 잡혀 일가붙이 조붓하니
그랬다던가 갈이면 꼭 스물 시집을 가야는데 갓난 동생 배고퍼
울었는데 동그마니 빈 마당 아무도 없어 붓그려워 붓그려워 어
쩔까 봉긋 물린 젖몽우리 우는 동생 낯을 가려 물지도 않어 그래
거기 발그레 몽글은 젖이나 좀 볼까 하여 우히히 천리 멀리 숨어
들어 나 장산곶 살리 몽금포 스물난 계집 젖을 물리는데 어디 젖
이 나오나 어쩌나 아름풋 나 장산곶 살리 몽글은 젖 슬무시 어루
며 어슨 밤 깊은 골짜구니 데려다 살리 장연이라던가 몽금포 어
디

개마고원

저 계집 개마고원 살고요 아으 또 살지요 땟국자락 배시시 입을 가려 가려도 웃음이야 한 무데기 숫접은 어수리 같고요 물에 우리어 낸 듯 배시시 웃음이야 제 얼굴 다 가리지 못하고 이드거니 배어나요 이 덩치가 웃음은 또 쬐끄매서요 웃음만치나 입술도 쬐끄매서요 그런데요 그런데요 어저저저 풋내나는 계집 요 웃음이 그만 나를 사로잡아요 숫배기 암것도 모르고 요 계집 배시시 웃자더니 치뺄 틈도 없이 나도 따라 쿠더분 개마고원 살고요 아으 또 살지요 예제서 아야로시 웃음이고요 엉덩이 숫저이다 까내리듯 이젠 아예 가릴 것도 없이 대놓고 웃지요 이 밤 어저저저 또 나를 덮쳐요 내 계집이요

삼수갑산

한 사나흘 산갓 사방 거 된통 눈 내렸다지요 무쇠솥 하나뿐인
둥긋한 구막에 불을 넣으면 매운 굴뚝 연기 여직 빠져나갈 숨통
은 있었던지 뒷방 사내 슬쩍 골판문 열어 내다보았다지요 겨울
다 나도록 궁시렁궁시렁 방바닥 엎디어 되게 긁적대기도 하는데
한 여드레 여들없이 또 눈 내렸다지요 김치죽 한 그릇 앞에 두고
그 사내 정주간에 마주앉았다지요 고얭이도 달기도 염쇠도 점
잖게 한 발 물러 둘러앉았다지요 풍산 장진 북으로 후창 혜산까
지 죄다 막혀 그랬겠지요 껄껄 멋쩍은 듯 슬그머니 꾸렁내 피웠
드랬지요 어찌어찌 찾아들어 그래도 덥석 장작단 날라다 주고는
밉살도 모르게 들어앉던 한겨울 산간 집채 거 눈 좀 녹았던지 껄
껄 콧물 쓰윽 훔치던 사내 다음해 겨울 또 찾아와서는 꾸렁내 슬
쩍 들어앉았다지요 한 사십 년 폭설도 똑 그렇게 내리퍼부었다
지요

세월이 오다

눈뜨면 자주 빈 벌판까지 이르던 내 걸음 쓸쓸히 이르러

마른 줄기로 꼿꼿이 서 있던 곳 해질녘 강가에

알 수 없는 물무늬 밀려와 긴 강변으로 드러눕던 곳

때늦은 이파리 언뜻언뜻 바람에 연분홍 비 내리면

내 얼굴 마구 젖어들어 처음인 듯 눈물 흘리지

낮은 집 처마까지 막 눈뜨면 거칠 것 없이 이어지던

밟으면 제 몸으로 종일을 뒤척이던

싸리가지 같은 울음이 멀리 누런 바람에 밀려나고는

하늘도 부옇게 가라앉고는

둥근 그루터기로 지친 허리를 접는 거

누군가 무작정 한달음에 건너와서는

바람이거나 꽃의 시절이거나

죄다 푸들푸들 몸을 풀어내는 거

가고 오던 세월에 기대는 날 많아

제 몸을 쳐서 붉은 구름의 거적까지를 들춰내는 거

그대가 오고 지리고 지린 세월에 얼룩져

못난 반푼이들만 입을 꼭 다물고는

더디 오는 저녁 산책길 한차례 물바람 때릴라치면

내 어느새 긴 강변에 쌓여가는 붉은 햇살을 받아
슬픈 날의 흔적처럼 서 있는 마른 줄기들
그 아래 둥긋이 자리잡은 돌무더기 하나 보게 되지
연분홍 비 같은 그대가 가고 늦은 햇살에 부셔
하나 둘 쌓여가는 돌무더기만치나 무거운 물살이 밀려들지
무거워 자꾸 떨어지자 떨어지자고 저녁 하늘 맑아지지

목련꽃 그늘 아래 울다

집으로 돌아오는 길 몇 집 건너 또 몇 집

목련나무 피었네 지난밤 내 손에서 벗어난 사랑은 그러나 서
툴렀네

그러나 한번 더 사랑이 나를 저버린다면 그때 나는

그 무엇도 되지 않고 그 무엇도 될 수 없는 아득한 울음을 울
겠네

겨우내 뒤란 귀퉁이 잘 말려두었던 대추 몇 알 꺼내

맑은 물을 끓였었네 두고두고 마실 양으로

한 주전자는 끓였었네 그 향기 봄 그늘에도 잦아 있어

하지만 괜스리 햇볕만 내쏘다 돌아섰네

오늘 하루의 몫으로 시를 쓰면 또 며칠을 살아낼 수 있을까

단 며칠의 목숨을 위해 쓸쓸한 날은 몇 줄의 초고를 남기거나

지친 몸으로 난필을 읽다가 이 청청한 봄날을 다 보냈구나

탄식과 환희와 대답 없는 사랑이 한데 모여 이루는

목련나무 키 큰 언덕에서 그애는 지금

창밖을 내다보며 목련가지 물오른 꽃송이처럼

그애는 한 음 한 음 음자리를 맞추고 있겠지

내 말이 그애의 작은 창틀까지 하나하나 고스란히

제 음자리로 옮겨 앉기까지 나 온통 이 목련꽃 그늘에

내친 걸음 뒤돌아 이끌고 온 놓아줘야 할 것들

봄 햇살에 반은 술렁이고 반은 심하게 몸을 뒤흔드네

이제 그것들을 이름 부르려 하네

그리하여 또 며칠 분의 안타까운 목숨으로 살아낼 슬픔들이

어디에도 가지 않고 어디로도 숨어들지 않을

낮은 음자리로 내려앉을 때까지 노래가 될 때까지

목련꽃 지는 이 날

앉은 자리로 꽃잎이 한 장 떨어져 내린다

서늘히 잠겨오는 낮은 지붕들 물끄러미 올려다보는 날

어둔 잠을 거두어 저녁의 눈 높이 떨어져내리는 그 힘

그 공중에 떠미는 문밖 길 나앉은 자리

아직 못다 한 저물녘의 길들처럼 그리움은 멀어

땅속 깊이 뿌리 박은 차가운 기운으로

또 꽃잎이 한 장 떨어지는지 몰라

어제는 찬바람 불고 잊었던 마음의 구절들을 뒤적이다

그대로 그 찬바람 속에 띄워 보냈다

한 장씩 얼굴을 가리며 꼭꼭 떨어지는 꽃잎들

새하얀 백목련 가지마다 누추한 서성거림을 떨어뜨린다

저녁 연기처럼 가슴을 움켜쥔 손 마디마다 배어나오는 소리

한켠 무너져내리는 소리

내 웅크린 몸을 밀어내 바닥 가득 번져가는 향기들

어둠 속 파르르 떠가는 저 먼 불빛들

오래 앉아 있으면 꽃잎이 한 장 또 떨어져내린다

간혹 나의 삶은 공중을 선회하는 별빛에 실려 갔다 그렇게 미

움도 가고

종일을 나앉아 서성대는 발길 잠시 멈춰 올려다보는 하늘에
거대한 운석처럼 빛나던 한 계절이 지나고
또 한 계절을 나앉을 무렵 목련꽃 백목련꽃 떨어진다
누군가 창문을 두들기다 돌아가고 눈빛은 바닥처럼 흩어지고

횟집

알전구도 안 켜지고 깡통불도 없이 어두웠다네 새벽까지 마신 술 다 깨기도 전 들어앉은 저녁 횟집 나무의자 추위에 엉덩이까지 발톱 사이 낀 때까지 부들부들 떠는데 횟집 포장 위로 갈매기 물찌똥 찍 싸갈기더군 길 잘못 꺾으면 거기 그렇게 끝장일 테지만 졸음을 겨우겨우 달고서 미시령 넘으면 여기 턱밑까지 차오르는 시퍼런 울렁임이 있을 테지 그래 살아 있다는 건 이렇게 살 떨리는 거라네 살 떨리도록 혼자서 부옇게 웅얼거린다네 돌아보면 아직은 밝을 듯해 저기 아니 여기 저무는 햇살 구름에 가려 끝내 어두운데 같이 살 떨린다는 거 부들부들 껴안는다는 거 어쩌면 살아서는 못할 것 같더군 미시령인지 한계령인지 여기의 저물녘은 되돌아보는 순간 지리도 높은 거라네 그래그래 늦은 밤을 기다려 돌아가자니 어째 한숨만 갈매기 물찌똥 물찌똥 몇은 술자리 옮겨 깡통불 시린 손을 쬐고 파장 다 지나도록 맑은 술잔을 또 돌리며 앉았다네

타클라마칸

아침이면 더 많은 모래바람을 실어와 쌓인다
눈을 뜨면 바람에 주름잡힌 넓은 언덕이 보인다 타클라마칸
어디서도 뒤돌아 바라볼 발자국이란 없다
죽음이 이처럼 깊다 한 발 한 발 걸음은 조여오고
부석부석 햇빛에 허물어지는 모래의 언덕
타클라마칸 메마른 바람은 잠시 멈춘다
길을 잘못 들었다 하지만 조금만 더 가면 된다
발목을 틀어 되돌아서는 순간 귓속으로
거친 모래바람이 불어온다 신음처럼 벌어진 입 속으로도
텁텁한 모래 알갱이가 씹혀온다 빌어먹을
좁은 어깨쯤이야 다시 치켜올리면 그뿐
하지만 보이지 않는 넘어야 할 산맥
다시 어깨를 내리누른다 길에서 벗어난 이 길이
아주 없어지지는 않을 것이다 타클라마칸
여기서 멈춰버리면 그뿐 어깨가 필요한 것은 아니지만
그렇다고 막무가내 될 대로 되라는 듯이 죽음을 딛고
발끝을 들어 황망히 휘날리고 싶지는 않다
어쩌면 이 무거운 어깨가 나를 잡아주는지 모른다

조금만 더 가면 된다 저 먼 보이지 않는 넘어야 할 산맥

타클라마칸 모래언덕이 일제히 허물어져 내린다

천산북로 天山北路

　가는 길 힘겨운 세월, 눈가의 굳은 먼지를 떼어내며 바라보는
저켠 누군가 타박타박 걸어오는 것 같았네 길 한 모퉁이 마른 삭
정이 쓸어 모아 불을 지피는지 멀리서 노을은 연기처럼 퍼져나
가고 간간이 흙먼지 일으키며 저녁이 다가왔네 점점 날은 어두
워 그 속 천길 매운 연기에 눈물이 날 듯 캄캄하게 떠지는 눈빛
언뜻 비치는 듯했네 바라볼 수조차 없이 늙은 나귀의 눈가에 거
칠게 세월이 더께지고 꼭 다문 입술 위로 모래바람이 옹이의 껍
질처럼 굳어갔네 지는 노을에 검게 타들어가는 소리 깊었네 수
렁의 바닥처럼 불씨는 꺼져가고 누군가 이곳으로 걸어오는 것
보이네 내가 방금 지나왔던 곳으로 누군가 더욱 무거워진 모래
바람 속에서 걸어오고 있었네 등 뒤 작은 불씨들을 한 곳으로 가
만히 모아두고 있었네 지는 석양을 드리우며 걸어나오는, 어둑
어둑 저녁의 그림자를 밀고 오는 부옇게 가라앉은 길 하나 힘겹
게 그의 몸을 받쳐주고 있었네 이제 거의 다 꺼져버린 한 그림자
가 점점 이곳을 향해 뻗어나오고 그렇게 점점 서로가 가까워졌
을 무렵 언덕을 넘어 한 멸절滅絶을 바라다보는 모래 먼지의 끝
자락 붉은 꼬리는 연신 쓸려가고만 있었네 그에게도 마을은 있
고 그 길 마을을 벗어나 다시 그에게로 가네 그는 뒤돌아 가만

히 손을 들어 가리켰네 그가 걸어나온 저켠의 저녁과는 달리 또
다른 저녁 속으로 걸어나갔네 내 이제 막 지나온 곳조차 부옇게
가라앉은 채 그만의 풍경으로 펼쳐지고 그의 몸은 마른 연기처
럼 또 다른 저녁 속으로 천천히 걸어 들어갔네

천산남로 天山南路

산맥의 맨 끝자락 희끗희끗 드러나는 낮은 구릉을 바라보네
그 길의 한가운데 굽은 골짜기를 지나 눈 녹은 물빛이 반짝이
고 모래언덕을 탁탁 치며 길 건너던 가느다란 작대기처럼 힘겹
게 고여드는 호수, 두 손 산맥의 협곡인 듯 얼음같이 차가운 호
수에 담그네 손은 나무껍질처럼 거칠고 딱딱했네 숨 막힐 듯 내
리쬐던 햇빛이 다 젖어 빛났을 때 남루한 손끝이 물고기처럼 뒤
척였네 일순 지느러미를 흔들며 튀어오르네 천천히 물결을 헤
치고 호수의 한가운데로 들어가면 점점 물살이 목줄기와 턱밑
으로 찰랑이며 흔들리고 그 호수 밑바닥에 나는 서 있었네 온
통 물결 위로 은모래빛 죽음들이 반짝였네 천천히 눈을 뜨고 그
눈부신 빛을 바라보았네 숨을 크게 들이마셨네 바닥은 얕아 머
리 끝을 물 속으로 끌어들이며 한참을 눈 녹은 얼음물 한가운
데 앉았네 물결이 귓가로 차오르면서 출렁이는 소리, 바람에 나
뭇잎 흔들리는 듯 그 위로 온통 밀려오는 소리들, 모두 캄캄하
게 가라앉았네 지상의 온갖 것들이 일시에 사라지고 물결은 조
용히 내 몸을 흔들었네 물결에 몸을 내맡기며 눈을 떴을 때 머리
위 수면으로 햇빛이 밤의 태양처럼 혈흔처럼 떠 있었네 숨이 온
몸을 부풀리며 차올랐을 때 다리를 뻗어 물 위로 몸을 일으켰을

때 모든 시름과 피로가 물 밑으로 가라앉는 듯했네 언뜻 무슨 소리인가 들려왔네 그 온갖 소리들, 이제 다시 길을 떠날 때가 되었는지 눈을 들어 바라보는 길 끝에 더 먼 산맥의 끝자락이 이어지고 있었네

보도블록에 관하여

잘못 운반돼 온 바람에 먼지들이 희끗희끗 거리로 날렸다
보도블록을 드러낸 만큼 흙과 섞여진 모래는
각진 생채기를 길 위로 새겨놓고 나트륨 등빛 한밤내
뿌연 촉수 잔기침 속으로 서로의 몸을 덮어주며 먼지들은
천천히 천천히 내려앉는다
그리 많지 않은 날들이 지나이 위로 어떤 다른 돌들이 올려져
무심한 발길을 견딜까, 차마 견뎌내도 무사할까
육중한 트럭이 실어나르는 기름 더께 어둠의 진동에도
제 발자국만큼이나 미세한 흔적을 만들고
다시 흔적을 비워내는 먼지들 돌과 돌 틈새 속속껏
어둠버섯들이 무더기로 돋아나던 발 밑에서
속내 머금은 빗물과 함께 밟아 올려지고 하룻밤 드새도록
주먹만 한 뭉우리돌 수북이 자라 있다 하염없어라
한 떼의 사람들이 힐끔힐끔 부지런히 지나가는 동안
몇 번이고 칠해졌다 던적스레 벗겨져나간 철제 셔터를 밀어
올리며
끈덕지게 달라붙어 함부로 그늘진 길 안쪽
관심 밖으로 쫓겨난 개들은 서둘러 궁색한 눈빛을 치우고

종일 낡은 회전식 입간판 앞에 쭈그리고 있다
드러낸 보도 위 한 어깨 삐져나온 가판대 조간신문
그 옆으로 깨진 보도블록들은 누군가에 의해
멀리 던져질 것처럼 널려져 잔뜩 웅크리고
언뜻 바람이 불었다 더 이상 스스로 육체를 돌볼 수 없을 때
더 이상 가질 것이 없을 때 다 해진 저 돌들은
어느 곳에선가 가차없이 부서질 것이다
무수히 밟히면서도 저 돌들은 날아가 깨질 것이다 하염없어라
흔적을 만들고 흔적을 비워내는, 시퍼렇게, 다시 길과
한 몸이 된다 길을 풀어 놓으며 비로소 먼지와 한 몸이 된다

화물 트럭

헐거워진 빈 몸을 소란스레 가득 채우고 나도
어둑어둑 주린 내장 속으로 감당할 수 없이 빠르게
미끄러지는 트럭, 낯선 저녁은 깊어진다
벌써 몇 시간을 달려왔을까 느닷없이 스쳐가는 경적에 놀라
굽은 등을 펴면 그러나 무거운 덩치를 끌고 가는
한 사내의 땀 냄새 흥건히 내의를 적신다
어느덧 깊어지는 저녁 속으로
끌리는 것이다 후줄근히 달라붙는 몸 속으로 웅얼대는 무거움
어디로부터 연유하는지, 우와아아앙 속절없이
과적의 몸뚱이를 이끌며 흘러간다
이제 막 빗방울들은 주황색 전조등 앞으로 달려들어
쿵쿵 기둥을 박아댄다 산업도로, 그래
도대체 몇 시간을 달려왔을까
얼마나 더 끈적하게 무거워져야 턱턱 숨 가쁨이 아닐까
길은 사람들 모여 사는 쪽으로 낮게 엎드려
휘어지고 이내 아득히 멀어진다
능선 아래 곤히 잠들었을 마을의 빛이 껌벅이고
자꾸 졸음이 오지만 매캐한 담배 연기를 잘근잘근 씹으며

사내는 라디오를 듣는다 볼륨을 높이고
등받이에 깊이 기댄 채, 사내는, 긴 노래를 따라 부른다
빗방울들은 점점 거세게 몰려와 시야를 가리기 시작한다
헤드라이트 불빛이 더듬어나가는
몇 발짝 길 위로 단숨에 치달려 도착할 낯선 흐느낌
저 시커멓게 나앉은 언덕, 끝없이 이어진다
길이란 하찮은 것이다, 사내는, 지겹다
아무렇게나 담배 꽁초는 창밖으로 버려지고 어디선가
꺼진다, 무서울 게 없다는 듯이
화물트럭은 굴러가고, 무서울 게 없다는 듯이

잠들지 못한 것들이여 안녕

슬픈 것들만 비 맞고 섰구나 맨 처음 굵은 빗물에 씻겨가는
저녁의 길들은 수척한 허리를 꺾어 또 길을 낼 것이다
비 맞고 섰는 허름한 꽃집 앞 화초들이나
바래진 기와를 얹은 불 꺼진 가옥들 가까이 저 가로등 불빛에
기댄
빗방울의 기둥을 안고 돌아오는 내 늦은 밤길의 귀가
나 꺼칠하니 어둠 속 비춰지는 한낱 더러워질 슬픔과 함께
날이 새도록 집에를 걸어간다 우리는 너무 많은 말을 하였구나
웅성거리다가 흐느끼다가 하면서 이처럼 나 애처로이
거리의 어둔 불빛 한점 무거운 발걸음에 치이는 서툰 노래들
무럭무럭 자라나는 생각들은
주체할 수 없이 막무가내 나만의 목소리를 잡아내느라
내 곁에 있을 쓸쓸함을 바작바작 타들어간 담배 연기 속에 날
려 버렸구나
아껴둔 첫사랑의 아련한 얼굴만 절실히도 찾아갔구나
간혹 세상의 어느 구석 눈이 부어오르도록
잠들지 못할 격정에 사로잡혀 나 언제 그리도 쏘다녔더냐
여기는 내가 살던 곳 또 여기는 내 취중

멀리도 걸어와 쓰러져 엎어지던 곳 그래, 나 한때의 추억 속에서
끝내는 버려진 것이 아니라 잃어버린 것이었음을
얻으려는 것이 아니라 차마 벗어나고 싶었던 것이었음을
그 어둡게 달아나던 이름의 마디마디를 큰 소리로 더는 부르
지 않겠다
뒤늦은 밤길 이제야 집에를 걸어간다
너무 젖지 않게 내 몸에 스미는 빗방울 빗방울들
내 곁에 다가설 어느 이의 쓸쓸함을 느끼듯 내 안에 비춰지는
그들
잠들지 못해 서성이던 걸음도 비로소 흘러내리는 따뜻한 눈물도
이 빗속에 저마다 하나씩 작은 불빛을 달아둘 줄 아는구나

지친 남자

첫눈 내리고 밤 깊은 창문가로 얼굴빛은 캄캄하게 다가선다
새벽녘 굽은 길목 누군가 뒤늦은 발걸음으로 급히 들어선다
일렬로 줄지어 선 느티나무의 가지들은 메마르다
막다른 곳 길 끝에 집은 있고 종종 무거운 어깨를 이끌며
사람들이 돌아온다 첫눈이 내린다 밤하늘은 어둡고
길목으로 부연 등빛에 떠밀리듯 첫눈은 더 많은 어깨를 무너
뜨리며 내린다
길 끝에 길게 늘어선 느티나무와 빈 트럭들 사이로
늦은 걸음은 무척 좁은 어깨를 가진 듯하다
눈은 내리고 차츰 거세지는 사나운 마음의 폭풍
오늘은 또 누가 몇 마디 그럴듯한 흔적도 없이 절명했을 것인
지
딱딱하게 얼어붙은 비탈진 몇 평 등성이에 둥근 무덤을 만드
는 것인지
한 삽의 흙을 뿌리고 관 뚜껑을 두드리며 뛰쳐나올 듯한 소리
가 이어지고
그러나 곧 사람들이 마지막 삽날을 묵묵히 박아넣는 동안
죽은 자의 것인 듯 터엉터엉 울리던 소리도 차츰 힘을 잃는다

그곳엔 아무것도 없다 별도 바람도 거기까지 이르지는 못한다
계속해서 축축한 흙덩이가 한 삽 한 삽 얹혀진다
창문에 엷은 성에를 손톱으로 긁어낸 자리에 듬성듬성
줄지어 선 느티나무의 마른 가지 끝이 흔들린다
짧은 입김을 남기며 길 끝으로 사라지는
걸음은 제 어깨만큼이나 비좁고 딱딱하다
언젠가부터 이 길목을 지키고 선 등빛은 더욱 초라하지만
처음인 듯 그리고 마지막인 듯 흔쾌히 하얀 등빛의 몸을 갖는다
길목은 눈발에 덮인다 캄캄하게 다가선 얼굴빛도 사라진다

추억에 부침

생각난다 잘못 쓴 글자를 지우고 지우고 할 때마다 떠오르는

오랜만에 써보는 한 소식 예전 같지 않아 낯설고 어눌해

자꾸만 틀리게 쓰는 동안 생각은 물방울처럼 군데군데 맺혀
있다

손목의 힘이 뻑뻑하게 밀어내는 이 흰 종이 위로

결국 형편없이 구겨져나갈 지금 이 소식은 불편하다

물방울을 들여다보면 그곳에 되비쳐올 눈빛은 있는가

소식은 접어두기로 한다 한 해의 마지막을

종일 켜놓은 라디오에서 정확히 시보를 알려온다

한 권의 노트를 두툼히 묶어두고 이제 무엇을 기록할 것인지

새로 쓰는 문장들은 고집스럽게 빈 틈을 만든다

생각나지 않는다 애써 지우려 했던 기억들은 끝내 지워지고

그때 그 길목의 남자는 흐트러진 외투를 걸치고 있었던가

두고 온 것은 많지만 결코 가져갈 것은 많지 않았던 시절

그로부터 오 년이 지나고 소식을 끊은 지 사 년이 지나버렸다

낮은 상점들은 희미한 듯 한때 남루하고 따뜻했었지만

길을 넓히고 많은 차량들이 종일 쉴 새 없이 지나치는 지금

여전히 기억처럼 쓸쓸하다

온전히 돌려보내지 못한 마음만 홀로 어둑어둑 저물어서
빈 틈 많은 문장도 결국은 아프게 지워져가는 추억일 뿐
눈물 자국처럼 잊으려 하고 또 이렇게 희미해지지만
버려질 것을 알면서도 잘못 쓴 글자를 고치던 고집스러움은
회한을 만들고 부칠 수 없는 한 소식 먼 세월로 보내려 한다
낡은 외투처럼 한 남자를 쓸쓸히 저녁 길목에 버려둔다

부족 部族

혈맹血盟은 깨어졌다 늙은 사막의 개들이 모래구덩이 속에 하룻밤 거처를 마련하는 동안 울음은 얇은 천오라기처럼 찢어지고 아침이면 두툼히 등짝을 덮고 있을 둥근 사구들, 빠르게 이동하는 유사流沙의 소용돌이 속으로 빨려들지 않으려면 뻣뻣한 털은 미세하게 단련되어야 했다 단 한 방울의 낙타젖도 흘리지 않는 유목민들의 유랑을 따라 저 모래 밑의 지맥을 짚고 선 마른 눈매가 어느덧 물 냄새를 맡았을 때 사막의 개들은 비로소 굶주림을 알았다 그리고 혈맹은 깨어졌다 앞서간 부족을 따라 늙은 지팡이는 어딘가 끊임없이 움직이며 모래 발자국을 단숨에 삼켜버린다는 한 나라와 한 도시를 떠올렸을 것이다 터번으로 칭칭 얼굴을 둘러쓴 아이들의 울음 소리, 마른 태양과 드센 주문 같은 바람 소리, 주름사막은 갈 데 없이 드넓어져만 갔다 빛나는 이마를 가진 어느 부족의 천막이 천천히 창끝에 드러날 때 사막의 개들조차 소리를 죽여 모래구덩이 속으로 서둘러 들어갔다 피 냄새를 떠올리자 거친 털은 드문드문 메마른 거죽 위에서 떨리고 유사의 소용돌이 속 또 한 부족이 명멸하는 기다림에 캄캄한 목구멍 깊이 더 깊숙이 몸을 파묻었다 멀찍이 태양은 한껏 달아오른 모래들을 가루가루 부서뜨리며 추위를 끌어당기고 태양도 저 모

88

래언덕 밑으로 발자국만의 먹이로 빨려 들어갔다 천막 속으로 들어간 늙은 지팡이는 모래 같은 눈을 지그시 감았다 한 도시를 이루고 한 나라를 이루기까지는 저 멀고도 먼 굶주림의 피 냄새 마저 기억해야 한다 사막의 개들조차 채 뜯어먹지 못하고 남기고 간 어느 부족의 굶주림으로 유사의 소용돌이 캄캄한 발자국만의 도시는 세워질 것이고 계속해서 또 다른 부족들의 긴 발자국을 따라 흘러갈 것이다 혈맹은 깨어졌고 비릿한 피 냄새만이 이빨 자국 틀어진 모래 속으로 스멀스멀 스며든다

미친 사랑의 노래

설핏 잠 속에서 서로에게 가진 것만큼 조금씩 허물어지고
열이 몹시 나 가만 누워 있지를 못한다 자꾸 몸 뒤척일 때마다
무거운 땀내에 창밖 어린 라일락나무는 작은 잎들을 더 푸르게
내 감겨진 눈이나 그리움의 뒤켠에서 피워놓곤 했다
그애의 목소리가 듣고 싶어 나 그만 누운 자리에
내 몸체만 한 열기를 쏙 남겨둔 채 창문 가까이 다가선다
어떤 슬픔을 나는 가진다 공중에 둥둥 떠가는
가벼운 천장의 줄을 내어 열에 들뜬 무거운 몸
가눌 수 없는 내 음악들을 매달고 싶었다
하루는 비와 바람에 슬픔의 무게로 흔들리는
한 덩이 검은 공중을 마주하게 될 것이다 검게 검게 말라가다
익숙하게도 푸른 공중의 일점으로 떠다닐 것이다
내가 그애의 발밑으로 허물어지면서 하나의 저녁이 되고
무수한 저녁들의 지는 햇살을 투명히 비춰내어 그애의 몸을
이루는
가득한 공기가 될 것이다 그애를 호흡해내고 그애를 피워내면서
여름 잎사귀들은 내 한 몸을 온전히 이루어내리라
달아오른 열기가 빠져나간 곳에 하늘과 공기와

그 앞에 허물어져 그대로 저녁의 거대한 허파로 숨쉬는 곳에

서로에게 조금씩 허물어지면서 가진 것만큼

무너져주면서 사랑한다 사랑한다 사랑한다 말하지 않아도

저녁의 부풀어오르는 공기 가득 호흡해내고

내가 그애의 고운 숨이 되고 그애가 나의 몸이 되고

그럴 수만 있다면 어느 날은 그애의 체온에 따라 달아오르거

나

나의 숨 더 낮아지거나 할 텐데 여름 저녁조차도

낮아지거나 달아오르면서 다 검붉은 잎으로 물들어 갈 텐데

뒷문 밖에는 갈잎의 노래

그리고 보면 언제부터인지 서로서로 겉돌고 있었던 것이다

그토록 비좁은 마음으로 점점 흐릿해지는 눈빛을 감추고

등 뒤에서 내 가진 몫의 어둑한 그림자만큼

어느새 벽처럼 한켠에 단단히 쌓여가며 허물어지고 있었던 것은 아닐까

그리움이란 누군가 먼저 지나간 흔적처럼

빗장 지른 문 굳게 닫아놓고 저 홀로 떠나간 것이었을 뿐

내 마른 입술은 그 어떤 신음도 뱉어내지 못하고

나는 오래 참혹하였다 얼마나 커다란 슬픔이

어둠 속에 꼿꼿이 머리를 치켜들고 있었던 것인지

한철 푸르른 하늘보다 먼저 말갛게 고개 든 자리에

서로 물방울처럼 투명하게 맺힐 수 있다면

무엇이 나를 떠밀고 나를 종일토록 괴로워하며

빈 바닥처럼 몸 뒤척이게 하는지 무거운 머리 감싸고 저녁 별 하나

끝내 비틀비틀 책상 위로 몸 일으키는지

기어코 나를 내치고 나를 아우성치던 비좁은 마음

짐승 같은 환멸이 긴 머리카락을 늘어뜨린다

어둠을 데리고 더 큰 어둠 속으로 쌓여가는

그 캄캄한 벽 쪽으로 기대어지고 한철 쌓이면 쌓일수록

스산한 새벽빛에 다시 허물어지려는 내 그리움

내 구겨진 마음에 와 닿는 내 안의 길 하나 온몸으로 길을 내
고

얼마나 좋을까 우리 서로 물방울처럼 투명하게

맺힐 수 있다면 서로에게 제 얼굴만큼 비춰질 수 있다면

진흙의 숨

세상 한 귀퉁이 후미진 곳 또 그 허박한 진창만 출렁이네

턱밑까지 차오른 울음은 저 홀로 목이 메이네

숨을 쉴 때마다 채 뜨거운 울음이 되지 못한 것들

발자국에 쌓여진 몸의 더께 질퍽하니 길 하나 끌며 흘러가네

저녁 바람에 몸 뒤채며 멀리까지 나간 발자국

서늘히 마르는 동안 다시 어둠은 무수한 숨구멍 흔들어

한 어깨 가득 고여드네 질퍽질퍽 흐느끼기만 할 뿐

세상에 아무도 없는 진창 속을 걸어 들어가

혼곤한 발자국을 남기는데 그 위로 또 버거운 한 세상 고여드
는데

목이 메이네 점점 뜨겁게 달아오르는 울음

어느 걸음을 잡아 끌어 허방의 수렁 속 깊이 푹푹 꺼져들려는
지

가도 가도 밤은 깊지 않고 청명하게 물때를 기다려 걸어 들어
갈

물밀어오는 서녘은 이대도록 진흙발 질퍽하니 무겁네

더 많은 진흙덩이와 뒤엉켜 한 발 한 발 흐느낌 소리

어둠은 또 이드거니 한 세상 등 짊어진 진창을 풀지 못하네

집어등

　이물과 고물이 번갈아 뒤집힐 때마다 속 다 헐어 게워내도록 밤바다 출렁거린다 지나간 일 이르집어 몇 잔 소주빛으로 두 눈 물컹하게 쏟아내고도 더 맑아져야 할 것이 있다 비린내 찌들어 문기둥마다 반들반들 손때가 묻고 병째 쓰러져 잠들던 밤에도 취기는 온몸 달아오르기만 할 뿐 지금 먼 밤바다 구만리장천의 칠흑 속으로 나를 더 깊이 끌고 들어가는 이물과 고물 사이 널브러진 몸뚱이 하나 이대로 속 다 뒤집도록 만신창이 서툰 오징어처럼 헤엄치다가 눈물 콧물 창자까지 다 쥐어짜내 비로소 깊은 속에 이르는 것인가 무릎만으로 간신히 몸 버티고 팔꿈치로 옆구리로 물살에 기어들다 눈까지 풀리고 수십 수백의 전구라도 달고서 만선의 호령이 떨어져도 나는 아직 덕장의 비린 손때를 알지 못한다 불 밝혀 달려온 밤바다에 더 깊이 게워내고 게워낼수록 줄줄이 잡혀 올라오는 미끌미끌한 몸뚱이마냥 간신히 나를 힘겹게 잡아냈을 뿐 그대로 갑판에 널브러져서야 수천 수억의 바다 밑 더 깊은 곳까지 끌어올린다 잡혀 올라온 건 바다가 아니라 주렁주렁 매달린 불빛에 바다처럼 출렁이던 나였다 어두울수록 더 밝아지던 불빛을 거두고 새벽녘 돌아올 때까지 연신 짠물 신물 다 우억거리면서 뒤늦게 무언가 깊은 속 불 밝히면서

고래잡이

　남지나해 부근이던가 그 밤 어디쯤에서부터 선체 후미를 바짝 따라붙던 갈매기만 간혹 보일 뿐 끝없는 바다와 질식할 것 같은 고요만이 있다 때를 맞춰 일순간 굵은 작살을 내리꽂으면서 숨통을 끊어놓기까지 터질 것 같은 허파를 끌어당겨 마지막 숨통을 끊어놓기까지 그 얼마나 팽팽히 맞서야 했던가 벌써 여러 해 한번 배에 오르면 가라앉지 않고 끝끝내 솟구치고야 마는 그 무엇인가가 또 병처럼 도진다 돌아보면 아득한 바다 멀리 먹장구름떼 몰려들고 어느덧 선체 후미를 따라붙던 갈매기는 보이지 않는다 질식할 듯한 적막은 폭풍 속에도 여전히 격렬한 채 거친 암묵처럼 요동치며 고여 있을 뿐 그 동안 대체 몇 번의 헛손질이었을까 여전히 그 손으로 때가 되면 손때 진득하니 저 미친 고요를 향해 작살을 날렸던 것이다 하루에도 수차례 솟구치는 눈을 감아도 보이는 팽팽히 맞선 이 질식할 것만 같은

작은키나무숲

때로 끄무러지는 저편, 누렇게 바랜 수숫대 모로 누워 사방 어디로든 뻗어와서 그래도 멈추지 않을 굽은 길인 듯 걸음인 듯 펼쳐지는 서녘 해

어느새 제 한쪽을 끌어내립니다

여직 잎 피기 전 몸이라곤 미욱한지라 낡은 버스에 달랑 싣고 거슬러 길 거슬러 폴폴폴 내려선 길이지요

제 투명한 어둠을 씻어내느라 물이 가장 어둡게 맑아지던 한때를 지나, 모래무지 한 마리 온통 물 속을 흔들어 강이 되던 그곳

그리고 다시 이곳으로 왔습니다 저녁입니다

강안江岸까지 줄곧 같이 흔들려오던 한 사람이 바랑 하나의 무게로 주저앉고, 열리지 않는 수풀들의 물 속 가라앉는 흰 그물

그렇게 당신도 한켠 저물어갔지요

이곳에 나를 부려놓은 건 먼지의 탓이 아니지만 온 들판 가득 무성히 자라난 풀들 깊은 강 길을 덮습니다

그 풀들 누렇게 시들어 낮은 숲 혼곤히 누워 있습니다

아련하게 한 세월 벗겨내 몸으로 집이 되던 시절 지붕도 없이 창창한 몸이 되던 당신,

당신은 너무도 캄캄하게 어둠강 밀려오고 있었지요

비알비알 단단히 물 속으로 여린 흙 놓치지 않으려 한 뿌리에
서 다른 뿌리로 엉켜 들어가 나무등걸 옹이진 목소리 잘린 밑둥
상처가 되어 오래오래 아득히 서 있어도 괜찮았습니다

그러나 득 득, 퍼렇게 여린 살갗 얼어붙어 한 물살이 또 한 물
살을 밀어내며 사라지면 마른 뿌리의 힘으로도 어쩔 수 없이 쏠
려가는 진흙탕, 수면을 건드리며 스쳐가는 북서풍과 그 뒤로 천
천히 가라앉는 혼침昏沈의 기억이 이곳을 강이게 하고

어느 한쪽이 놓아준 힘이 있기에 당신인 줄 알겠습니다

한 아름 낭구 해다 지피는 불길에 어릿어릿 끄무러지는 서녘,
그렇게 그렇게 넘성넘성 헛것인 양 노을지는데

이곳을 보고 있는 건 눈의 잘못이 아니지만 온 들판 가득 누렇
게 시든 풀들 그대로 낮은 길이 됩니다

다시 그 풀들 무성히 자라나 깊은 강 숲을 덮습니다

한 사람이 주저앉고 한 사람이 털퍼덕 주저앉아버리고, 굳이
몸만으로 퍼런 물살을 견뎌 서서 물고기들이 실어나르는 먼 먼
하구의 모래알들

그렇게 한켠 저물어갔지요

화염나무숲

도근도근 첫걸음이었습니다

전에도 이런 일은 있어 왔지만 처음인 듯 가는 길, 그러나 누가 이쪽을 힐끗 쳐다보는지 길은 자꾸만 아닌 듯 아닌 듯 열어주고 열어주고 하면서 깊어지고

지는 걸음에 밑 모를 뒷쪽을 허물어 한 숲에 이르듯

구름은 멀리 구름을 불러 더욱 낮게 이쪽 하늘을 잡아당기고 이제 구름이 있어 하늘 한 자락 거둬들인다면 부드러이 한 자리 내주며 풀물 드는 그대라면

내 발 깊숙이 숲 전체로 스며드는 소롯길, 환한 얼굴 파묻고 그대로 돌아서지는 못할 테니

보시는지요, 은비늘 바람 따라 흔들리는 불볕

한낮 화염火焰 속 집 짓는 거미의 습속을

한줄기 길게 쓸며 기우는 빛으로도 멀리 가지 끝 물방울들은 가볍게 마르고 해껏 새파라니 한 나무에 생청스레 온몸을 기대서는 숲의 마음을, 그대

풀 그림자 풀잎을 당기고 때 절은 속잎까지 끌어안듯이

멀리서 다가가 가까이 서면 한 숲이 한 나무로 기울어지듯이

잘못 자란 삭정이도 넉넉히 숲길을 헤집고 들어서면 오싹하니

틀어진 곳 깁고 있는데

저녁 해에 오래도록 그을려 이글거리며 바람이 몸 스칠 때 사이사이 바람을 견디며 견디어내며 비로소 제 몸 갖는다는 것, 숲이 된다는 것

그래 그렇게 숲에게로 제 몸 놓아주는 그 소리, 들으시는지요

종일을 바닥까지 시큰대며 냇물 흐르는 소리

제 땀 냄새 물때 낀 바람을 물고 아래로 아래로 풀잎을 당기며 흐르는 냇물, 그 소리보다 더 큰 내 발자국 소리 어쩌지 못하고

더는 꺼낼 게 없어 오히려 가득해 보이듯 빈자리 없이 속속 드나들며 바람은 바람에게로 가버리고 한 발 한 발 쉬어도 쉬어도 화인(火印)처럼 찍혀 지울 수도 없는 내 발자국 소리

더욱 크게만 들리는

하여, 나무 잎사귀에 얹히는 햇빛 속 몸 담고 싶은, 저녁 우듬지 잘 마른 불볕 속으로 푸르게 푸르게 젖은 몸 내어 걸고 싶은

온통 스며들어 한 순간 멈추고 싶은

두물머리나무숲

여름밤을 건너 여기 나 아름답겠네 외딴 강변을 찾아 몰려드는 물살들의 뒷물 끝 밤벌레 소리

귀꿈스레 마른 잎처럼 웅크리고 나앉은 사람 하나 환해지겠네

등솔기에 어디 물 건너온 흔적이나 있다면 부르르 날려버릴 눈길을 따라 이편과 저편을 가로지르는 허공 중인 것을

여기 한 사람 시퍼런 물살에 죽음을 놓아 띄우는 두물머리,

물놀에 이끌려 자박자박 내려진 여름밤의 숲속을 걷어내며 한 길은 또 깊어지려네

그 뒤로 울음이 꺾어지른 곳에 갈 곳 머물 자리 뒤채여 또 저기 한밤의 여울물 소리 있네

몇 날은 모닥불 피워놓고 더러 몇 날은 벌겋게 취한 채

잎잎마다 노래 부르고 짧은 목을 놓아 불덩이 속으로 잔가지들을 던져주네

물가에 나앉은 한 사람 곁으로 여름밤의 불빛들 타오르고

세상으로부터 떨궈져 몇 날을 흘려보냈을까

또 몇 날이 두물머리 숲가로 몰려왔을까

숲속에 검은 덩어리들 잎잎마다 가득 차오르면 한 사람 죽어 굳은 껍질 상처난 무늬 하나 둥글게 덧씌워지네

그 자리에 눌러앉아 미끌미끌 물살에 낀 이끼를 떼어내며 맑은 날은 돌을 하나 던져주고

어디 하구쯤에 몰려 있을, 등솔기로 치고 가는 헌 옷자락의 궁글은 바람으로나 걸어두고

몇 날은 소식도 없이 또 몇 날은 부랑의 등껍질을 떼어내며

두물머리 숲가로 줄띠 무늬 들고양이 긴 울음 소리 늘어지는 여름밤의 한때를 나 여기 오래 서 있네

금생을 건너간 자들의 물살에 떠밀리며 혹은 젖은 발을 강변에 내맡기며 잊혀진 노래들을 하나하나 기억해내고

더러는 걷어 올린 시선을 놓아주며

한 사람 불빛 곁으로 나 오래 물살지겠네

큰키나무숲

가다 가다 물밀어오는 해거름이거든 깊은 산 눈동자 봅니다

그리운 거 한 떼의 물주름으로 출렁이던 거 어디로들 쓸려가 모두 잠들었는지

우우 물톱밥 쏟아지고 비린내 뻐꿈뻐꿈 게장 담근 항아리 볼록 배 나올 때 안마당에 까만 눈 얼룩고양이 늘어지게 한잠 자고 있는 집, 떠난 지 오래이구요

남루한 몸 속이파리 몇 장 흘러와 줄창 함께 무너지자고 무너져주자고 흔들리며 대바람 단숨에 밀려가고 밀려옵니다

눈자위 그렁그렁 꽃밤 지는 가을이구요

길가에 잎잎이 비벼대는 애옥살이 반줌 살집을 틔워 희부옇게 깡마른 제 몸 하나 몸 하나만으로도 부시게 아름다워 길 위로 내쫓긴 여정이라서

치유할 수 없는 업병業病의 아득함, 첩첩한 발길 돌자갈 툭 채이는 이곳은 저 너머 발 시린 애처로움 뭉그적 퀘퀘 냄새나는 양말짝 벗어둔 또 어떤 이들의 아득함이 되겠지요

수풀 사이 느리게 뻗은 길은 다시 몇 갈래 길 쪽으로 넘어지고 속으로 속으로만 똥똥똥 한 덩이덩이 뭉쳐놓은 검푸른 수령樹齡,

물밀듯 서로에게 끌어당기는 공중을 봅니다

길 지나온 마을 저물도록 아이들은 뒤척이구요

길 먼지, 어리석은 병통, 온갖 더러움 쓸고 와 천근 내려앉는 무게가 되고 아득한 무게가 되어 멈춰 서고, 두 손 두 발에 굵은 못 박혀서

무지렁이 뱃가죽 길 하나 비비비 끌고 가는 온몸이라면 온몸의 꿈틀거림이 길이라면 가다 가다 잉걸불 환하게 찌그러지는 어느 저녁이거든 힘껏 솟아오르는 흰 연기, 몸 하나의 숲에 어느새 당도합니다

잔가지 버히어 투명하게 움터오는 피안此岸의 숲 몸 하나의 집이 있습니다

수런거리는 길섶까지 이대로 쓰러지도록

뒷나무숲

잎 다 진 겨울 연설煙雪, 엇그루 간신히 걸터앉고요

한뎃길 들어서 칭칭 얽동여 맨 겨울 벌판에 이르면 그렇듯 어둠은 저희들끼리 모여 저만치 뒷걸음질 물러나 깃을 내리고

궂은 날, 하지만 들키지 않고 한구석 오래도록 오래도록 웅크려 발갛게 아팠습니다

볏짚 이엉 쌓아올린 겨울 벌판 가생이로 접어들어 질긴 봇둑길 끄트머리로 따라가면

삽삽 이리저리 부는 바람에 온통 몸 내맡긴 눈가루들이 슬금슬금 흩날릴 젠 저녁 놋종 소리 근처 얇은 뒷숲으로 데려가 청미래덩굴 발간 열매 곁으로 달아주기도 했습니다

여기들 모여 있었구나 소리치며 소리치며 달려나가는 수척한 손길이 따뜻해서요

산 아래 기슭으로 골짜기로 냉큼냉큼 벋어서요

겨울 빈 벌판이 숲으로 밀어낸 때 아닌 붉은 상처를 가만히 바라보았지요 깨금발 아슬아슬 모여 있는 산열매

저 나무 저 어깨,

산갓 사방 턱밑까지 차오르는 흰보라 눈꽃 그늘, 휘도록 눈덩이 이고 있는 저 가지의 무게,

견딜 만큼은 무거웠습니다 무거웠지요

그러나 삽짝문 밀듯 그렇게 훌훌 벗어버릴 순 없었지요

그 무게 그 휘어짐으로 시리게 눈빛은 설레고 덩굴에 매달린 작은 고드름이 설핏 녹을 때까지 입김을 호호 불고 있으면 이드르르 열매는 더욱 붉어지고

소르르 피어 내리는 눈가루, 적멸寂滅이라 합니까

멧비둘기 한 쌍 호젓이 겨우내 무릎을 굽혀 앉은 저녁 숲을 발끝으로 살짝 건드리고는 달아납니다

앞산 멀리 중긋중긋 솟아오른 묏바위

그 사이로 겨울의 첫 문이 소리도 없이 열리던 때 숲은 해종일 붉은 열매를 고스란히 달아두고 있었는지 모릅니다 뒷쪽 가생이로 몰아놓은 누구에게도 들키지 않을 그런 그런 어스름을

고스란히 달아두고 있었는지 모릅니다

한 삽씩 한 삽씩 무딘 삽날에 퍼올려져 서리 기운 눈 자죽 희검게 덮으며 내려 깔리는 어둑발

눈으로 가득 채워진 눈골답 지나

오던 길 어지러운 발자국 다시 더듬어 시누대비짜락 쓸쓸 쓸어놓은 마당귀에 이르면

하지만 발뒤꿈치를 털어낼 필요는 없었지요

난분분 난분분 어느덧 굵어지는 눈송이, 기다렸다는 듯 구석
쟁이 잘 밀어놓은 솜털이불마냥 조붓하게 붙어 있는 친구들,

산꼬대 드센 웃풍 아랑곳없이 한철 발갛게 익은 추위로나 모
두 반가웠지요

여기들 모여 있었구나 소리치며

늘푸른나무숲

좀처럼 아물지 않을 듯한 밑구멍을 열어놓았구요 아궁이 속 바짝 들러붙은 탄불이 아침새 차가웠습니다

고작 몇 줌 햇빛을 담아낼 뿐 움쩍도 않은 채 닫혀 있는 좁은 창살 뻑뻑한 문을 열자 싸륵싸륵 쓰리게 방안으로 속내 같은 눈발을 만났습니다

누가 이런 좁은 창문을 버리고 갔는지

길은 아직 골목을 빠져나가지 못하고 푸른색 유리 박힌 담장들 밤새 뾰죽뾰죽 상한 잇몸을 드러냅니다

희붐하니 밑불은 꺼지고 너무 낮아 차가운 구들장을 이고, 되려 식은 바닥에 엎드렸습니다

밤새 서러움도 쓸쓸함도 다 잊고 비틀거리던 이들에게 밑 꺼진 빈 바닥인 것이어서 가까이 손에 쥐는 대로 세월의 찌든 누더기를 끌어안고 뒤늦은 잠을 기다립니다

옅은 햇빛 속 볕 바른 담벼락을 들추고 나앉을 등짝에 기대

비틀비틀 친구가 건네주고 간 때 묻은 공책 한 권에

그 다짐 속에 한 단으로 묶여 엎드린 창틀 낮은 햇살에게 언제쯤 설운 잠이 고이 깃들겠습니까

녹물 든 대문 앞 차곡차곡 쌓아 올린 연탄재,

사랑은 참 깊어 그리 막막하게도 허물어지고, 더 바르게 쌓아져야 저 좁은 어깨들은 쓸쓸하지 않아, 잠시 우리 헤어져 있는, 이 눈발, 아니 아니

엉망으로 틀어져버린 술자리를 다시 챙기며 친구는 내 막연한 허기마저 그의 술잔에 넘쳐나듯 마셔버리고

툭 하니 걸려 넘어지는 돌뿌리에도 그리움이라는 걸 알아버리고

겨우겨우 기어 들어온 방 뒷벽에 기대어 이곳에 막 당도한 듯 어리둥절한 채

친구의 술잔 가득 쓴 얼굴 속 남겨진 그늘이 아직도 출렁이는 것 같아 늦은 아침은 그리도 더디게 지나갑니다

부끄러웠습니다

찬 바닥을 밑불로 당기고 누워도, 더러 아파 오는 날들과 더러 흐느끼는 분노가 굽은 골목을 다 걸어나가도록 함께 누울 홑이불 한 장 아직도 버석이는지요

겨울 길목 편편이 싸락눈에 젖어 또 좀 젖어서

그 밤이 나를 운구하리라

어김없이 겨울은 돌아오고 날은 저물었지
갈 곳 모를 걸음들만 종일 메마른 웅덩이를 팠지
겨울 다하도록 눈 한번 제대로 내리지 않았지
차갑게 웅크리고 앉아 막막함 뒤에 찾아오는
어떤 그리움 같은 것들을 어찌할 줄 몰라
뒤늦은 그 저녁 서툴게 취해야 했지
어느 누구에게도 읽히지 않을 것들을
그게 무슨 사랑이라도 되는 것처럼 그게 무슨
희망이라도 되는 것처럼 못 다 쓴 종이만 붙들었지
독버섯처럼 번식해가는 추위 앞으로 내던져져
얼어붙은 공기 그대로 쓰러질 것만 같아
사랑한다 사랑한다 말하려지만 우리가 만나고
헤어질 때면 닳은 바짓단 끌어 또다시 해는 지고
길은 멈출 때까지 길이 되어 주었지
그리움도 따뜻함도 다 서로의 그늘인 것을
이따금씩 그을린 얼룩처럼 흔들리던 나뭇가지들
결국 사랑이라고 말하지 않았지
그러자 아파 오기 시작했지

몇몇 걸음은 늦게까지도 어둔 거리에 남았지

어둔 하늘에서도 눈이 내리려는지

한줌의 어둠을 다시 돌려주며 황망히 돌아서야 했지

소멸에 바침

지나다 길 옆으로 문을 낸 칠 벗겨진 상점 유리창을 보면
채 어둠을 밀치지 못하고 먼저 거두어 가는
헐은 저녁이 빠르게 지나간다 좀체 열릴 것 같지 않은
뒷모습으로 남루한 문을 밀어 누군가 들어가고
언젠가 낮은 집 지붕이 있어 석양까지
함께 웅크리던 한때, 그날 네 발치에 엎어지도록
도망치는 나를 앞세워 저문 햇살에
한참이나 물밀리듯 서 있곤 했었지만 아직도
그런 저녁이 남아 제 두터운 살갗을 잘라내고 있는지
고인 물 길바닥에 발을 묻으며 여기는
이제 차마 무심히 버스 창가에 앉아
잠시 지나치는 곳이 되었으니, 담벽에 바짝 붙어서서
발을 버리고 달아나며 뭉클한 저녁이 몸 뒤채이는
어디가 따뜻하고 어디가 빈 그릇처럼 놓여 있는지
내 다 알 것 같다 그래, 그게 바로 너였구나
그래 모두 스산해지겠구나 달아난 걸음이 도로 와 닿는
적막이 길 하나 등 뒤로 그러안고
좁은 상점 유리창에 비친 다 품지 못했던

집채만 한 말들 여전히 벗겨져나가고 아무리 길을 드러내도

온전히 길 쪽으로만 잎을 떨구는 가로수 겹겹이

그 잊지 못해 피어나는 얼룩처럼 어둠을 몰고 가는

물 밑에 번지는, 잘못된 기억이었다고

누군가 빈 손으로 상점 문을 열고 다시 문을 닫는다

물방울의 집

아무리 기다려도 오지 않는 당신 정녕 마르고 마른
한숨 소리 있네 나 흐르지 못하고 그 자리에 머물지도 못해
그 빈 속으로 들어가기에 나는 너무도 무겁고
나의 팔과 다리는 가시처럼 메말라 간혹
어둠 속을 찌르곤 하였네 이 한 생의 어느 곳에서도
내가 해야 할 일이라곤 고작 기다리는 일뿐
그렇게 기다리다 꺼져내리는 한숨 소리에 몸도 잃고
마음도 잃어 물방울의 집으로 가네
몸의 메마른 가시도 둥근 얼굴이 되고
한 집의 벽이 되어 단단히 치켜세우던 어깨를 풀고
기다리는 것조차 망각하고서야 그곳으로 가네
아직 더 기다려야 할 사람 가지 못하고
남은 울음 다 울지 못한 사람 가지 못하고
뒤늦게 울음을 터뜨린 자 시린 눈물로 되돌려져 나오는 곳
지친 마음 몸의 가시로 메마르지 않아
간혹 헐떡거리던 숨결 물거품이 되기도 하지만
서늘히 넘어오는 햇살이 눈부시면 어딘가로
가벼이 날아가버릴 그곳에 썩은 나무등걸처럼

빈 속이 아니라 헛것이 아니라 사라져도 다시 뭉쳐질
세상 온갖 곳에 지붕을 얹고 둥글게 둥글게
벽을 둘러선 곳 그 벽조차 문이 되고 그 문 들어서는 자
툭툭 몸 아픈 불거진 가시 잘라내지 않고도
온전히 들 수 있는 물방울의 집 그 눈빛 맑은 그곳에
갈 수 있을까 다시 만날 수 있을까 이 설렘만으로도

옛애인

기어이 움푹움푹 패인 웅덩이를 안고서 돌아온다
몸 안에 옮겨진 진흙탕 출렁일 때마다 생각난 듯 그러나
이제는 떠오르지 않는 얼굴처럼 걸음은 비틀거린다
다시 돌아서는 잘못 든 길 한쪽 구석에서도
낙엽 많은 한 좁다란 길 모퉁이에서도 마음은 얼굴을 잃고
흐린 기억처럼 질척거리며 온종일 거리를 쏘다니는 것
결국 마음은 곳곳에 수렁 같은 웅덩이를 옮겨다
발을 아주 빠뜨리지 않을 만큼 빈 몸에 퍼담는 것
이제 지나간 말들은 걸음을 내치고
걸음은 또 몸 없는 곳에 걸려 넘어지는데
몇 개의 웅덩이를 출렁이며 가는 이 길이 좀처럼 길다
젖은 잎사귀 구두 뒷굽에서 떨어져 나온 흙덩이 모두 쓸려 와
웅덩이는 출렁이고 그 어디를 또 쏘다니며
기억나지 않는 것들을 온몸에 출렁인다
진흙 바닥 곳곳에 패인 자리들 다 말라 버렸는지
또 걸음은 닳은 바짓단을 끌고서 어디론가 흘러간다

얼음의 내부를 깨뜨리다

죽음의 모습들이 지배해 온 투명한 얼음 속
습한 늪지를 뒤덮은 안개의 중량으로
기어오르던 희고 차가운 줄기들 막무가내 덮쳐올 듯
침묵이란 죽어지지 않을 검은돌만 내밀고
이미 너무 많은 것들이 쓰여졌거나 말해졌지만
이것은 그러나 천천히 읽어가는 것이다
충분히 더럽혀지고 충분히 드러날수록 알 수 없는 넓이
나는 돌을 들어 얼음의 내부를 깨뜨리기 시작했다
하지만 얼음은 녹아내린 조각들로 더 큰 내부를 만들었고
길게 굽어지는 강심을 거슬러 흐르는 알 수 없는 힘
거세게 벽면으로 피를 흘리며 터지는 듯
빈 종이장으로 힘없이 떨어지는 어둔 밤 나는
한 순간 지하 저장고의 눅눅한 곰팡이
몇 개의 생목을 올라 푸들푸들 잎새를 흔드는 날
힘겹게 아무것도 말하고 있지 않은 문장으로
그러나 죽음조차 삶의 것이었으니 썰물에 씻겨 내려간
어느 생애의 중심께로 닿을 수 없는 오랜 두려움이
내 몸의 일부를 하얗게 베어 물고 있을 때

밤낮을 어디로 가야 이 아픈 얼음의 이끼류

발딛어 잔잔한 물살지려나

잠겨오는 어둠 속 성긴 골짜기 질러내려 너를

푸른 스무 살의 너를 생각한다 단 한 번의 소식 없어도

먼 곳으로부터 구름은 검은돌을 가져올 것이다

백일홍 장작을 태우다

발바닥이 시리다 마디마디 피곤한 몸의 하루치 양식을
한 입 한 입 검은 흉곽부터 삼키다 보면 언제나
캄캄하게 저무는 차가운 발바닥이 가엾다
오후 내내 거센 빗줄기에 엉성한 가지 몇 개 부러뜨리고
가던 길 멈춰 서서 문득 발 밑을 들여다본다
불안하게 떠 있는 태양 아래 눅눅한 공기들은 뿔뿔이
흩어지고 아무렇게나 상처를 묻어둔 곳이라면
물먹은 비닐봉지로 어둑하니 한쪽 어깨 드러낸 채
온전한 것은 하나도 없다는 듯이 삐죽삐죽
튀어나오고 젖은 북어를 뜯어 놓은 듯한 길을 따라 물방울과
물방울 사이 삼투되는 수상한 통로들만 가득하다
한때 몸 속을 흐르던 붉은 피가 두려웠었다
몸 속에 꿈틀거리는 이물질을 면도날로 그어내
뻣뻣이 서 있는 나무 밑에 흘리면 이파리들은 붉어지고
떨어져 처연히 썩어들기만 기다렸다
그곳에서 어느 낯선 두려움과 함께 누워 있는 동안
누군가 올 것만 같은 날들은 계속해서 지나갔고
헐겁게 풀려지던 헛된 것들만 제자리를 잃고 절룩거렸다

부스스 허물어지기까지 거대한 구멍 밖으로

둥글어졌다 다시 작아지고 창백한 불빛들

밤이면 물에 빠진 물방울의 거친 발바닥이 떠오르곤 했다

비는 며칠이고 계속 내릴 것이지만 켜켜이

젖은 나이테를 타고 흠씬 넘쳐난다 해도

불온한 것 한없이 불온한 것들 날이 새면 분명

저것들은 폭력의 밤이 남긴 지워진 길을

굳은 상처에 뿌리 박은 누런 살을 또한 열어 보일 것이다

구름의 말

지난밤 이 숨소리 당신 잠을 깨우며 멀리 흘러 갔으리라

미끌미끌한 빈 구멍에서 새어나오는 늦겨울 찬바람

메마른 한숨 소리로 처덕처덕 가라앉는 구름들

곧 쏟아질 것 같은 말들 바짝 마른 심장을 묻는다

멀리서 강바닥 깊이 내려가 수세기 쌓이는 소리

목젖을 울리며 채 온전한 말이 되지 못하리라

이 몸 속 당신 두근두근 뛰는 심장 소리

온몸을 타고 흘러다니는 이 맥박 소리 들려주고 싶었지

마음의 반은 한참을 저물지 않고 마음의 반은

그예 허물어지고 마는데 아직도 상처는 구름에게로 올라가는

구나

이 심장은 이 안에서만 맥박 소리를 내고 이 안에서만

구름을 만들어 한숨이 되리라

끝내 건네고 싶었던 말 채 몸이 되지 못한 것들까지도

어둔 심장을 건드리며 온몸을 타고 흘러다닌다

오늘밤 무수한 별이 뜨고 구름에 가려 반쯤 젖을 때

구름은 이 안에 갇혀 있기에 어느덧 소식은 끊어지리라

누가 이 별 앞을 먼저 지나갔다

오늘은 별이 떴구나 바람도 눈발을 밀어 내던 힘으로
빠르게 저녁의 문을 열고 총총한 별들을 더욱 반짝이게 한다
밀물 무렵 또 한 물살을 끌어당기며
겨울 찬바람은 불고 움추린 몸을 풀어 별까지
어둔 눈빛을 데리고 간다 종일 스스로 갇혀서
잠깐 비쳐 드는 햇살이나 있다면 창문을 열어
얼굴을 내어준다 이제 슬픔조차 견딜 수 있을 것 같구나
어느 때 다시 병이 도질지도 모르는
한줌 빈 틈 많은 몸을 이끌고 밀물 무렵 찾아드는 곳
무수히 떨어져내리던 그 많은 낙엽 밑으로 숨어든
한때 겨울 수풀 속 버려진 마음도 꺼내줄 겸
바람 속에 바람으로 불어가려 했다
눈에 익은 별이 뜨고 문득 사라졌던 별도 한켠에 있다
무심히 걸음마다 푸석한 눈가루 날리던
내친 마음 축축히 저녁 짧은 햇살을 받아내는데
오래 다치지 않으려고 얼마나 스스로 닫아놓았던 것인가
바람이 버려졌던 마음의 시린 등 위로 눈발을 날렸듯이
저 낯익은 별들도 저녁의 문턱을 넘는다

결국 슬픔을 견뎌온 것이 아니었구나 스스로 가두어놓고
스스로 다독이면서 슬픔을 잃어버렸을 뿐
이제 오랜 슬픔을 갖겠다 누군가 먼저 이 별 앞을 지나갔는지
작은 별 하나 전생애를 밝히듯 오롯이 반짝이는구나

벗나무집

　내 집 삼층 옥상에 올라서면 나와 키가 같아지는 벗나무들 얕은 언덕에 줄지어 꽃 피우면 내 숨 짧은 솜털처럼 부풀어 맨살에 닿는 바람이 설렌다 바람이 제 몸을 넘어 봄밤의 무수한 꽃잎을 띄워 날리던 날 나는 너무 작은 꽃 그늘인 것이어서 온종일 봄바람에 날려다니고 이 꽃 지고 내 숨 몇 날을 시름시름 보낸 후 더 높은 언덕에서 아카시아 흰 꽃들이 부푼 향기를 날리면 그때 그 향기에 어둡게 눌려 있던 고개 쳐들고 나는 또 가쁜 숨 차오르겠지 내 숨 설레도록 새하얀 꽃잎에 몸의 향기로 머뭇거리다가 한 차례 섣불리 흩날리다가 하면서 바닥 가득 심하게 몸을 다치거나 다친 몸에서 제각기 불우한 리듬들이 배어나올 때 내 집 삼층 옥상까지 자란 벗나무들이며 더 높은 언덕에서 흰 아카시아 꽃 향기 종일을 흔들릴 것이다 머뭇머뭇 나무 밑둥에 쓸려다니는 내 짧은 숨 몸 속 흥건히 배어드는 여린 향기의 설렘으로 잘 마른 햇살에 눈부실 때까지 지친 내 숨 머물던 빈 자리에 더 큰 소리로 바람 소리 울리지 않게 나는 뿌리 깊은 땅의 소리 적어 넣을 것이다 은밀히 차오르던 내 숨 참지 못하고 거칠게 바닥 가득 떨어져내려 시들어갈 때 아이들이 배운 노래를 끝까지 내 집 문 앞에서 다 부르고 갈 때까지 나는 온종일 바람 속에 서서 그 바

람 소리 받아낼 것이다 온전히 내 숨 꽃의 향기 쓸려간 곳까지
다다르지 못하던 시름겨운 날 소리 없이 벚꽃 지고 나면 어느 날
은 아카시아 다 피겠다

자살을 위하여

이른 밤 물결 소리 차갑게 들려 온다

가 닿을 곳 멀리 딱딱하게 굳은 손가락처럼

나무들은 빈 가지를 뻗는다 눈이 내린다

저렇게 많은 가지들

어디서 저렇게 많은 눈송이들이 휘날리는 걸까 쌓이는 걸까

살아서 그리웠던 것들

못다 한 몇 소절의 노래를 마저 부르며

낯선 행인들은 무심히 힐끗힐끗 이 앞을 지나치리라

처량한 개들은 어슬렁거린다 얇은 외투처럼

어깨를 움츠리고 나무에게로 바짝 다가앉는다

바람이 분다 갈 곳이 없다

한 순간 나무에게로 자리를 옮겨 앉는다

나무에게 눈빛을 다 내어준다

커다란 불빛은 남은 한쪽의 어둠조차 차분히 모아놓는다

눈이 내린다 떠나갈 필요가 없다

어디서든 눈은 하얗게 혹은 검은 어둠의 한켠에서 쌓인다

조금 전 무거운 머리를 잔뜩 움츠리고

마른 입술처럼 지쳐 있던 남자는 어디로 갔을까

가끔씩 가느다란 입김을 불어 무엇인가 꼼꼼히 적어놓던 남자

알 수 없다 나의 긴 외투는 두터운 껍질로

나의 손가락들은 빈 가지로 말라 있을 뿐

누군가 등 뒤로 커다란 그림자를 이끌며 다가온다

벤치 위에 놓인 노트는 이제 누구의 것도 아니다

커다란 그림자는 노트를 가져가 또 다른 방 한구석에서

빈 칸을 마저 채울 것이다 손가락들은 아직은 살아 있는 자의 것인 듯

새파랗게 얼어 있다 때가 되면 노트는 푸른 잎사귀를 가질 것이다

제 무게를 못 이겨 떨어질 때면 또 다른 몸을 찾아 떠나가리라

내 손가락에 쌓이던 눈덩이가 투욱 떨어진다 눈이 내린다

낙타의 길

너무 오래 지체했다 시린 발 그러나 이 길 왼편으론
한철 눈 녹은 부연 물살이 거칠게 쓸려가고
이제 옛길은 산사태에 묻혀 막힌다
가는 곳 그것을 길이라 한다면 이곳의 운명은
스스로 저의 한쪽을 닫아놓고 끝없이 뒷걸음치는 것으로
마지막 제 소멸의 끝을 완성한다
자칫 잘못하면 단 한 발 비탈에 무너지듯 물살에 쓸리거나
헛딛은 발 주춤거리는 사이
무거운 돌덩이에 옆구리 받친다 끝장이다
돌산은 여전히 스르르 무너지고
그럴수록 점점 길의 일생을 비탈로 넘겨준다 밀어붙인다
이제 아무도 이곳을 길이라고 말하는 자는 없다
너무 오래 지체했다 하지만 몇 걸음 다가섰다가
주춤거리는 사이 또 깎아지른 절벽 밑으로
돌산은 무너져 그 무거운 덩이 물살에 굴러든다 이제
끝장이다 묵묵히 걸어왔지만 이 운명이
험로를 험로로 있게 한다 그렇지 않고는 애초에 길이란 없다
살갗을 때리는 바람마저 불어 닥친다

그렇지 않으면 발 아래 물살이거나

제 일생을 묵묵히 마감하는 이 길 위과 함께 사라져야 한다

저물녘 한 몸을 덜어 주다

세상 모든 시련들 한줌 한줌 이 손바닥에 피어나더니

저 홀로 아문 상처의 불빛을 켜들고서 어디를 무심히 달려가
는가

아직은 함부로 황혼처럼 꽃 피어날 때가 아니었으니 아픈 몸
이여

시린 눈빛을 받아 무서웁게 벙그는 이 향기조차

세상 가득 흘러간 채 머뭇거리는 발길만이 쓸쓸하였다

저 멀리 저무는 데를 어둑어둑 등 돌려 서 있었구나

바람이 바람을 몰아 밀려오는 저곳으로 이 몸을 덜어주마

스스로 끌어안은 손아귀의 힘이 풀리지 않듯이

또한 가슴의 유약한 피 흘리는 소리 무겁다

세상 저물어도 밤 불빛은 혼곤한 머리 위로 떠오르고

가진 것 빈 몸처럼 스산한 등짝으로 어둑어둑 얼룩이 지는가

길은 아주 없어도 괜찮다 길 밖이 더 어두우니 짐진 몸이여

이대로는 더 이상 어디로도 갈 수 없고 그 어디도

머물 수 없어 이토록 붉은 노을처럼 공중에 꽃 피어나는가

하지만 바라볼 눈길을 잃고 허망한 몸짓으로 잉잉거리던

저물녘 세상 어디에 남루한 거처를 찾아들 것인지

놓쳐버린 눈길은 그만 얼룩처럼 검은 버섯을 키우고

아주 없어도 좋을 이 길이 왜 이리 또 좁아 보이는지 모른다

산다는 게 다 무거운 짐짝일진대 켜켜이 쌓아두고 사는 일

저 홀로 꽃 피어난 저곳도 여기처럼 무겁다 하는가

어느새 펼쳐든 손바닥 위에 잃어버렸던 남루한 눈길이 돌아와
있다

이 몸을 덜어주마 신발이여 제 몸을 다해 어둠은 비워진다

저물녘 몸 버리다

어제는 웃자란 잔가지들을 쳐내며 뜰 안은 조금씩 드러났다
그럴수록 마음의 구멍 밤샘 끝에 진종일 뒤척이던 그 깊은 속
불러줄 이름조차 빈 휘파람 소리로 사라지던 것들이여
나를 빗대어 울어줄 기력도 없이 어느 한갓진 곳으로
저녁의 발걸음은 잘못 자란 잡념처럼 쓸쓸하다
그 뒤를 떠받치던 서늘한 그림자여 마음은 저 홀로
오히려 제 몸보다도 커다란 빈 틈이었던 몸 밖으로 쓰러지고
오래지 않은 나의 떠나감이여 눈 밑으로 암흑처럼 깔리는 구
름이여
결국 몸만 남아서 나 먼저 물방울의 집을 짓고 서서
한점 허공이 되어 간다 환하고 넓고 아리고
저녁 산책의 길은 깊고도 깊다 이리저리 채이고 채여
때로 커다란 눈빛의 캄캄한 나무 잎사귀로 공중에 매달리다가
스스로를 벗어나던 따뜻한 한숨이다가
어느 순간 세월로 간다 붉게 물들어가는 저녁 지붕이여
가볍게도 내 몸을 던져주마 바람은 불어 오고
먼 빛으로나마 저물어갈 한때 마음이었던 것이여
그리도 처량히 한 끈의 울림만으로 요동치더니

한쪽의 무너짐이여 결국 팽팽히 당겨줄 기력을 잃고 넘어졌다
다 저녁 때사 남은 힘 부추겨 무거운 눈꺼풀이었던 것
한 세월 고인 빗물에 젖은 헐거운 구두를 신고 눈 밑에 깔리는
지평선까지 구불구불 내려앉을 어느 한쪽도 아니었던 것
그렇게 한철 지나가버릴 망각의 것들 너무 무겁다
어디서 다쳤는지도 기억할 수 없는 기겁할 몸의 무늬들
그늘 많은 가로수 밑에 묻어두마 나의 노래였던 것이여

저물녘 이 몸을 무너뜨리다

푸른 화분에 샐비어들은 고개를 떨군다

한 시절을 보낸다 이제야 알 것 같다

이 몸은 무너지기에 너무도 편하다는 것을

차가운 바닥은 이 몸을 온전히 받아내는구나

바래진 걸음은 어디선가 비틀비틀 걸려 넘어지고

거리 위로 두 무릎은 가뿐히 꿇려진다

왜 이제서야 알았을까 온전히 남김없이 이 몸을 비껴

길 밖의 길은 갈 곳을 모르고 한 시절 부랑했거늘

이 몸이 무너지기만을 기다렸으니 이렇듯

무너져간다 한때 절박한 곳으로 막무가내 몰아붙이던

지금 그곳은 아직도 어두운가 그렇다면

한 사람 아직도 서 있는가

모든 것이 거짓이었는가 몸통은 두 어깨를 받쳐 내지 못하고

무릎은 전신을 더 버텨주지 못하고 고스란히

무너지는구나 이제 이 몸을 밟고서 가는 길 밖으로

미안하다 무너짐이여 다시는 일으켜 세우지 않을 것이다

바닥에 고개를 떨군 샐비어들과 함께

으깨진 턱을 차갑게 쳐들며 한 시절을 보낸다

이 몸은 무너뜨리기까지 얼마나 헐겁고 헐거웠던가 찢겼던 것
인가

끝끝내 붙들고만 있었던 이 몸은 너무도 힘겹게 무너졌구나

잘 가라 한때 몸 된 것들의 갖가지 소란들 그 환난들 결국

무너뜨렸구나 길 밖으로 샐비어들은 비스듬히 고개를 쳐든다

염부

그렇게 저의 힘겨움 속에서만 검붉게 타오른다
빈 바닥 진종일 쩍쩍 갈라지며 그 속까지 아예 부서지기를
그예 메마른 사지의 한줌 근육으로 남을 것이다
해 이울녘 굵은 땀방울이 쟁여지는 바닥으로 한점 구름
뭉싯뭉싯 피어오르는 구름은 그러나
멀리 대양에 이르지 않는다
생의 저열함은 서천 끝 닿은 바다에 있지 않고
발가락 사이사이 한철 푹 곰삭은 냄새 지려놓을 뿐
저의 두 어깨 검붉게 닳고 닳아 그러나
온몸의 발바닥이 될 때까지
고작 어둠은 어둠만으로 얕은 물 밑 고여 있을 뿐
먼 대양의 시퍼런 지느러미 튀어오름도
지금 이 앞의 몇 줌 땀방울이다 저의 힘겨움 속에서만 타오른
다
타오르는 불길만이 바닥 깊숙이 끌고 들어간다
한없이 쓸어 모을수록 제 땀방울 하얗게 맺힐수록
두 어깨 무너뜨려 제 몸의 굵은 바닥을 본다

황금의 사랑

오래 서 있으면 가끔씩 누런 나뭇잎들이

툭 내 어깨를 치며 떨어진다

누군가 나를 속살 가득 허옇게

베어갈 때라도 나는 끝끝내 썩어들지 못할 것이다

어느덧 길은 좁고 좁은 만큼 넓혀질 것이다

오래 서 있으면 그러나 하나 둘

뿌리는 뽑혀지고

간혹 심하게 다친 나무들은 한켠에 버려진다

얼마나 뽑히지 않으려고 안간힘 썼던 것일까

잡아 채는 철심 둥근 도르래 쇠사슬에 맞서

눈먼 벌레들의 뒷다리까지 잡아 끌며 버텼던 것일까

몸통은 잘려지고 매운 연기 속에 버려진다

뿌리는 애써 피워놓은 불씨를 뭉개기만 할 뿐

잘 타들어가지 않는다

포크레인 한 대 흉하게 일그러진 뿌리째

길 밑으로 푹푹 밀어넣는다 벌건 땅 속으로 뿌리는

돌아간다 축축한 땅 밑에서도 수세기

마르고 마른 누런 잎들을 속으로 피워내며 굳어갈 것이다

비밀

김태형

초능력 소년

옛날, 그러니까 내가 세상에 눈을 뜨던 어느 날이었다. 경복궁에 사생대회를 다녀오면서 친구들과 교보문고에 들른 적이 있다. 중학교 1학년 때였다. 매대에 놓인 책들을 둘러보다가 책 한 권을 샀다. 돈이 모자라서 친구에게 얼마를 빌려서 샀다. D. H. 로렌스의 『채털리 부인의 사랑』이라는 책이었다. 그때는 책 겉표지에 포장을 해주던 시절이라 나는 안심하고 그 책을 들고 올 수 있었다.

집에 오자마자 책을 펼치고 읽기 시작했다. 무슨 말인지 알아먹을 수가 없었다. 읽고 또 읽었다. 결정적 장면이 나오기만을 기다렸다. 무슨 말인지 모를 소리만 잔뜩 쓰여 있었다. 어딘가 좀 이상했다. 책을 살펴봤다. 포장지를 뜯어서 표지를 봤다. 분명 '채털리 부인의 사랑'이라고 쓰여 있었다. 그러나 표지를 넘기자 책 안쪽에 이렇게 쓰여 있었다.

파우스트.

중학생 시절은 이렇게 시작되었다. 엉뚱한 일이지만 이렇게 점점 책에 관심을 갖기 시작했다. 어느 날 친구를 따라 여의도 KBS 본관 잔디구장에 간 적이 있다. 어떤 도인의 강연회가 있다고 했다. 뭔가 대단한 일이 벌어지는 줄 알고 주일학교를 마치고 걸어서 그곳까지 갔다.

수염을 허옇게 기른 도인이 마이크 앞에 서 있었다. 의자도 없이 잔디 바닥에 주저앉아 한참을 들었다. 무슨 말인지 기억도 나지 않는다. 민족이 어떻고, 개벽이 어떻고, 올림픽에서 메달을 수십 개나 딸 수 있다는 말만 얼핏 기억난다.

나는 그 친구 때문에 아틀란티스와 고대 문명에 관한 책을 읽었고, UFO와 히틀러의 관계에 대한 책도 흥미롭게 봤다. 얇은 문고판 추리소설을 읽으며 숨겨진 보물을 묘사한 부분은 거의 그대로 외우고 다녔다. 내 친구는 한동안 도인에 대한 이야기만 했다. 그래서 나도 그의 이야기가 담긴 책을 한 권 사서 읽었다. 재밌었다.

그 책에는 내 안에 잠들어 있는 초능력을 확인할 수 있는 방법이 있었다. 그래서 그대로 따라 해보았다. 세숫대야에 물을 반쯤 담아서 그 위에 종이쪼가리를 올려놓았다. 그리고 물 위에 뜬 종이가 움직일 때까지 눈에 힘을 주고 가만히 있었다.

기를 모아야 한다. 호흡을 멈추고 내 안에 갇힌 기운을 풀어주어야 한다. 눈에 힘을 주고. 온 마음을 다해서. 우주와 하나가 되도록. 움직여라. 움직여라. 움직여라. 그러나 눈이 아프도록 힘을 주고 있어도 물 위에 떠 있는 종이는 꼼짝을 하지 않았다.

다른 방법이 또 있었다. 촛불을 켜놓고 같은 방법으로 눈을 부릅뜨고, 아랫배에 힘을 주고, 한 호흡에 온 우주를 끌어당기듯이 바라보았다. 촛불이 일렁일 때마다 잡념에 사로잡히지 않으려 애쓰면서 오로지 집중하고 또 집중했다. 눈이 아팠다. 잠시 눈동자를 빙글빙글 돌려보고, 다시 또 부릅떴다. 꺼져라. 꺼져라. 꺼져라. 내 검은 눈동자가 저 타오르는 촛불을 빨아들일 것이다. 꺼져라. 꺼져라. 제발 좀 꺼져라.

그러고 나서 나는 방바닥에 널브러졌다. 방안이 빙글빙글 돌았다. 어지러웠다. 구토를 할 것만 같았다. 속이 메스꺼웠다. 호흡이 가쁘고, 어딘가 바닥 모를 심연에 내동댕이쳐진 듯한 느낌이었다. 촛불은 꺼지지 않았다. 눈동자가 쑥 들어간 듯이 아파왔다.

그 이후로 나는 눈을 부릅뜨지 않았다. 그런다고 세상이 바뀔 리가 없었다. 내 마음대로 곡선을 그리며 날아가던 전설의 마구를 더 이상 던질 수 없게 되었다. 학교 복도에서 장풍을 쏘는 짓은 그만두었다. 내가 지구를 구할 수 없다는 것을 그때 깨달았다. 그래서인지 내 눈빛은 그 이후로 초점을 잃었다. 아틀란티스는 영원히 가라앉았고, 외계인은 다시 날아오지 않았다. 추리소설도 더 이상 읽을 수가 없었다. 요술공주 밍키도 그 이후로 얼마 지나지 않아 죽었으리라. 그때 나는 초점 없는 눈동자를 랭보의 사진에서 보았다.

처음 시집을 읽어본 것도 이 무렵이었다. 종로서적에서 발행한 세계의 주요 명시를 모아놓은 선집이었는데, 내가 모르는 세상이 있다는 충격에 밤이 깊도록 읽고 또 읽었다. 그 무렵 과학 잡지 《사이언스》나 《뉴톤》을 읽기도 했다. 대부분 어려운 학술 논문이 아니라 쉽게 접할 수 있는 과학(특히 생물학적) 정보들이었다. 생생한 칼라 사진과 함께 어린 학생의 눈을 즐겁게 해주었다. 그래도 대부분 어른들이나 볼 수 있는 글이었다.

그때 읽은 기사 하나가 잊히지 않는다. 프랑스의 왕립천문학회에서 그들이 발견한 한 소행성의 이름을 '랭보'라고 지었다고 발표한 짧은 박스 기사였다. 밤하늘에 무수한 별들이 반짝이지만 '랭보'라는 이름의 소행성은 아마도 육안으로는 보이지 않는 아주 먼 곳에 있을 것이다. 이제 견자 시인, 아르튀르 랭보는 밤하늘의 별로 떠 있다. 보이지는 않지만, 저 너머를 바라보는 이에게는 분명히 존재하는 그런 세계였다.

시인 자신은 어떤 전형을 원치 않았겠지만, 랭보는 시인의 전형으로 여겨졌다. 그것은 열아홉 살에 "이제 내가 쓰고 싶은 시는 모두 다 썼다"고 말하는 저 도저한 천재성과 영원히 젊음을 간직한 순결성이었다. 게다가 랭보가 가진 부정 정신이야말로 가장 돋보이는 부분이었다. 어쩌면 랭보는 그의 시보다는 어떤 이미지가 더 많이 회자되었으리라는 생각을 해본다.

사실 외국의 시는 우리말로 번역되었을 때 그 생명력이 약해진다. 시는 번역될 수 없다는 말이 있듯이 그 시가 창작된 배경과 그 사회의 구성원들이 공유했던 언어적 전통을 이해하지 못하고서는 절대로 시를 이해할 수 없다. 보편적인 것이라기보다는 특수성이 강한 것이 시 장르다. 아마도 내가 읽은 랭보의 시는 전혀 이해되지 못한 채 어떤 강렬한 이미지로만 다가왔으리라.

견자의 시론이라고 불리는 랭보의 시는 사물의 실재성에 주목한 것이 아니라 그 사물들을 뒤틀어보고 그 이면에 숨겨진 새로운 사물의 본질을 시의 형태로 이끌어내려고 했다. 랭보가 그리스 고전 시인들에 대해 천착했고, 신비주의적인 관심을 보였던 것은 사물의 이면을 새롭게 발견하려는 노력으로 보인다. 미지의 세계에 도달하려는 의지다. 신비주의적인 외양이나 퇴폐적인 언어들이 난무하고 무엇보다도 반항적이며 부정적인 시각은 강제된 현실의 틀을 넘어서기 위한 것들이었다. 랭보의 사진에서 본 그의 눈동자는 푸른 눈동자로 빛나고 있었지만, 정면을 응시하고 있었지만 어딘지 모르게 초점을 잃고 뒤쪽 어딘가 먼 곳을 건너다보는 듯했다.

전설의 마구를 던지지 못하고 장풍도 쏘지 못하게 되면서부터 나는 랭보를 읽으며 초점 잃은 눈동자를 갖게 되었다. 아틀란티스는 사라졌고 외계인도 다시는 날아오지 않을 무렵이었다. 나는 이 세계의 비밀을 이해하기보다는 이제껏 존재하지 않았던 세계를 창조하고 싶었는지 모른다. 나는 초점 없는 눈동자로 다른 것을 바라보기 시작했다.

고교 시절

그런 눈빛으로 고등학생이 되었지만, 일상은 온갖 규칙과 강제 속에서 다른 꿈을 꿀 수 없게 했다. 점심 때 교내 방송이 나왔다. 신기했다. 라디오 방송을 흉내 내서 오프닝 멘트도 있고, 학생들의 짧은 사연도 소개했다. 그래도 거의 대중음악으로 채워진 방송이었다.

나는 고등학교를 입학하기 전까지 고전음악만 들었다. 독수리표 쉐이코 카세트 라디오는 언제나 클래식 전문 방송에 맞춰져 있었다. 좋은 곡이 나오면 테이프에 녹음해서 모아 놓기도 했다. 어지간한 곡은 그때 다 들었다.

헤비메탈은 고등학교에 가서 처음 들었다. 교내 방송에서였다.

"피곤이 몰아치는 기나긴 오후 지나/집으로 달려가는 마음은 어떠한가"

점점 볼륨이 올라가고 있었다.

"크게 라디오를 켜고 다함께 따라해요/크게 라디오를 켜고 다함께 노래해요"

인간의 목소리가 올라갈 수 있는 한계치에서 신음처럼 끊어질 듯 끊어지지 않고 내지르는 소리는 스피커를 찢어놓을 듯이 교실 안에 울려 퍼졌다. 처음에는 흥을 돋우는 리듬 때문에 대수롭지 않게 들었다.

"어? 쟤네, 이제 다 죽었다."

볼륨이 점점 올라가고 있었다. 그래도 시나위의 〈크게 라디오를 켜고〉는 끝까지 무사히 방송되었다.

"지금 뭐하는 거야? 빨리 끄지 못해!"

노래가 끝나고 잠시 침묵이 흐르더니, 방송실로 급하게 들이닥친 선생님의 목소리가 멀찍이 마이크를 타고 스피커를 통해 들려왔다.

"다 죽었네."

다음날부터 점심 방송은 나오지 않았다. 한 달 정도였을 것이다. 그 후에 다시 방송이 나오기 시작했다. 방송부원이 바뀌었는지는 모른다. 어떤 징계를 받았다는 소식은 듣지 못했다. 힘깨나 쓰는 학부모들이 많은 학교였다. 그저 예전과 다르지 않은 방송이 흘러나왔다. 오프닝 멘트도 여전했고, 가요도 팝송도 감미로웠다.

그러던 어느 날이었다.

"삐이익~ 삐익~ 개새X! 다 죽었어. 삑, 삐익~"

점심 방송이 다시 시작되고 며칠 지나지 않아서 이번에는 제대로 된 방송 사고가 났다. 어느 미친놈이 제대로 깽판을 한 번 쳐보겠다고 작심한 모양이었다. 아마도 선생님이 달려가기 전에 방송실에 있던 누군가가 전원을 내렸을 것이다. 방송은 그 즉시 멈췄다. 그리고 내가 그 학교를 졸업할 때까지 다시는 방송이 나오지 않았다.

방송이 뭔가 대단한 것을 할 수 있다는 것을 깨달았을 것이다. 누군가에게는 방송이 깽판을 한 번 크게 칠 수 있는 가장 손쉬운 방법이었을 것이다. 그러나 그 방송을 지배하고 있는 자가 저 위에 존재한다는 것은 누구도 알아채지 못했다. 시끄러운 음악을 틀어서는 안 되고, 대들어서도 안 된다고만 생각했다. 저항한다는 것은 있을 수 없는 일이었다. 따귀를 맞고, 엉덩이를 맞는 것은 당연했다.

그때 나는 시를 쓰고 있었다. 시집을 사다 읽으면서 밤늦게 갱지에 시를 썼다. 그러다가 점차 시와 관련된 다른 책에도 관심을 기울일 수밖에 없었다. 그때 내가 읽은 시들은 거의 대부분 민중시였기 때문이다. 사회와 역사에 대한 호기심은 자연스럽게 생

겼다. 3학년이 되었을 때, 『한국민중사』를 읽었다. 청계천까지
가서 사온 책이었다. 그게 금서라는 것을 알고 있었다. 이산하의
서사시 「한라산」이 발표된 무크지 《녹두서평》도 그 무렵 구해서
읽은 듯하다. 좁은 독서실 책상에 앉아서 상하권으로 나온 두툼
한 역사책을 읽으며 연습장에 중요한 부분을 메모해두곤 했다.
책에 밑줄을 치지 않고, 곱게 다루는 편이라 그랬다. 어느 날 교
련 시간에 갑자기 선생님이 발표를 시켰다. 예정에 없는 일이었
다. 교과서에 나온 내용을 나와서 발표하라는 것이었다. 누가 교
련 교과서를 들춰보겠는가. 하필 그때 내가 불려나가게 되었다.
발표해야 할 내용을 보니 제목이 '한반도의 지정학적 위치와 국
제 정세'였다. 그 제목은 지금도 정확히 기억한다. 나는 연습장
을 들고 나갔다. 연습장을 들추며 제목에 어울리는 내용을 발표
하기 시작했다.

내 입에서 민중과 외세에 관한 말이 흘러나왔을 것이다. 그 순
간 교실 뒤편에서 팔짱을 끼고 있던 선생님이 달려 나와서 내 한
쪽 뺨을 작대기로 내리쳤다. 나무막대로 만든 지휘봉으로 내 뺨
을 다짜고짜 갈기고 난 선생님은 아버지가 뭐하시는 분이냐며
출신성분을 캐물었다.

민중과 외세에 대해 몇 마디 발표도 하지 못하고 나는 교탁 앞
에서 물러났다. 출신성분을 말해야 했고, 얻어맞은 뺨이 후끈거
려도 참아야 했다. 그 사건은 그냥 지나가지 않았다. 하필 그날
한 과목이 선생님 사정으로 비게 되었다. 그 시간을 감독하기 위
해 들어온 수학 선생님은 젊었다. 자습이나 해야 되는 시간인데,

147

누군가 선생님께 건의해서 그날 있었던 사건에 대해 학급회의를 하자고 했다. 젊은 선생님은 그간 진보적인 성향을 보였기 때문에 학생들이 경계하지 않고 마음을 드러낼 수 있었다. 그 시간에 격론이 일어난 것은 당연했다. 학생들이 자발적으로 회의를 주재한 것도 처음이었다.

나는 교련 교과서 대신 시집을 읽었고, 『한국민중사』를 읽었다. 그게 내 교과서였다. 그러나 다른 교과서는 허용되지 않았다. 다른 교과서를 읽은 대가로 내가 치른 것은 수치심과 모욕감뿐이었다.

그리고 몇 년 후 나는 시인이 되었다.

내게도 출생의 비밀이

어느 작명가가 지은 것은 내 이름만은 아니다. 내 이름에는 그이의 이름도 숨겨져 있다. 아니 그의 소맷자락을 나달나달 스쳐간 어느 바람도 함께 묻어 있는 셈이다. 누런 해가 지고 검은 달이 떠오르던 그 밤이 나에게 내려앉아 있는 것이다.

지나가는 이를 불러다 얼마를 주고 이름을 지었다 한다. 내 이름은 지나가는 작명가를 불러다가 그렇게 지었다 한다. 이름을 지어야 할 사람이 얼마나 될 것인가. 작은 마을에 느닷없이 나타나서 길가를 배회하며 이름을 지으라고 큰소리로 외치고 다녔던 것일까. 그에게 운이 찾아왔는지 마침 그 무렵에 내가 태어났다.

그이는 짧은 햇볕이 지나간 마루에 앉아서 흰 종이 위에 척 이름자를 적어놓고는 대단히 만족스러워했다고 한다.

"장차 시인이 될 운명이로고!"

그이는 그렇게 말했다 한다.

"그 사람 참 신기하지. 어찌 알고 그리 이름을 지었을까. 허허 참."

삼십 년이 지난 뒤에야 아버지로부터 이런 이야기를 듣게 되었다. 그 순간 갑자기 운명이라는 게 다가온 것일까. 그게 아니지 싶기도 해서 나는 딴청을 부렸다.

"떠돌이가 무슨 예언가라도 된다고."

생각해보면 아마도 떠돌이 작명가는 이름 한번 잘 지었다 싶어 그리 말했을 것이다. 그랬을 것이다. 어떤 운명을 타고 날 정도로 나는 비범한 사람이 아니다. 다만 조금 일찍 눈을 떴고, 몽매의 세월 속에 나를 바쳤을 뿐이다.

그 운명이라는 것이 말하자면 시를 쓰다 제 이름조차 바람에 구름 한 점 걸어놓지 못하고 떠돌던 자신의 마음이 아니었을까. 그러니까 운명이란 나만의 것이 아니었다. 이름을 지어준 그이의 삶도 내 이름에 덧대어 있는 것이다.

처음으로 이름을 지어 불러주는 것, 그것은 구름과 바람의 문장이다. 그렇게 그가 내 이름을 처음으로 부른 사람이 되었을 것이다. 그래도 딱히 틀린 운명을 살지는 않았던 모양이다. 나에게는 그이의 운명도 함께 들어 있는 셈이다.

고등학생 때 나는 쉬는 시간마다 시집을 꺼내 읽었다. 한 번은

옆에 앉은 친구가 연습장 가득 써 놓은 시를 내게 보여주었다.

"이 시 어때?"

"뭐 이래. 시상이 흩어져 있고 표현이 어색한데. 네가 쓴 거니? 좀 더 손을 봐야겠다."

"이거 네가 그렇게 좋아하는 김지하 시야."

"……."

이 녀석은 내 책상서랍에서 몰래 김지하 시집을 꺼내갔다. 그리고 시집에서 시 한 편을 연습장에 옮겨 적은 뒤에 나에게 보여준 것이다. 분명 나를 시험해보겠다는 음흉한 계략이었다. 가끔씩 이 녀석이 지금 어디서 무엇을 하고 있을까 궁금해지곤 한다. 분명 크게 성공했거나 어둠의 경로에서 괴로워하고 있을지 모른다.

이 구렁이 같은 놈이 표정 하나 변하지 않은 채 실실 웃고 있는 게 징그러웠지만, 무엇보다도 내가 더 한심해서 얼굴을 들 수가 없었다. 한두 번 읽은 시집도 아니고, 수십 번은 족히 읽은 시집이었다. 왜 그 시를 기억하지 못했을까. 시집 한 권을 여러 번 읽더라도 반드시 모든 시를 눈여겨 읽는 것은 아니다. 좋아하는 시를 중심으로 읽게 된다. 재미없는 부분은 슬쩍 빠르게 넘어가기도 하면서 말이다. 그래도 나는 부끄러웠다. 열렬한 추종자라고 으스대던 내 꼴이 말이 아니었다.

그러고 보면 시인의 이름을 지우고 시를 읽어야 제대로 이해할 수 있는 것은 아닐까. 나는 어떤 환상으로 시를 읽고 있었는지도 모른다. 저 위대한 시인이 쓴 시라면, 당연히 뛰어난 시가

150

아니겠는가. 나는 이미 범위가 결정된 환상 속에서 시를 읽었던 것이다. 이 부끄러운 기억은 나를 오래도록 따라다녔다.

나는 시집을 주로 읽었다. 또래 아이들이 자주 보는 만화를 거의 보지 않고 자랐다. 내가 끝까지 본 만화책은 허형만, 김세영의 『카멜레온의 시』가 유일하다. 월간지 《보물섬》 창간호부터 몇 권을 사보기는 했지만, 연재만화를 끝까지 보지는 못했다. 그 외에 내가 본 만화책은 거의 없다. 성당에서 빨간 복사복을 갈아입고 대기하며 돈 까밀로 신부가 나오는 만화를 깔깔대며 보기는 했지만, 월간지는 듬성듬성 이가 빠지듯 없는 책이 많았다.

나는 만화책과 잘 맞지 않았다. 『카멜레온의 시』도 만화책이 보고 싶어 찾아본 게 아니라 이 만화에 시가 나온다고 해서 보았다. 내 기억으론 로트레아몽의 시가 많이 인용되었고, 한국의 여러 시인이 쓴 시도 인용되었다. 이 만화책은 정말 대단했다. 스토리도 그렇겠지만, 인용된 시가 풍겨내는 아우라는 매우 독특했다. 내가 마지막 권까지 읽었다는 것만 해도 이 만화책이 얼마나 뛰어난지 알 수 있다.

그때 나는 시란 멋있는 말이라고 생각했다. 그래, 시는 멋진 말이다. 대부분 그렇게 생각할 것이다. 시, 그건 멋들어진 말이다.

"한 마디 해보세요. 시인이시라면서요?"

사람들은 시인에게 멋진 말을 기대한다. 동물원의 원숭이에게 재주를 부려보라고 시키듯이. 시란 그런 것이었으니까. 적어도 사람들에게는 그렇다. 나도 그리 부정하고 싶지는 않다. 멋진 말

좀 해보려고 밤새 시를 쓰던 기억이 있으니까.

그런데 세상에 차고 넘치는, 여기저기 널린 시들을 읽어보면 멋있는 말이 별로 없다. 세 가지다. 이미 멋있는 말을 누군가 다 해버린 것이고, 그보다 더 멋있는 말을 할 수 있는 능력이 없거니와, 심지어 멋있는 말이라는 게 다 거짓이었다고 깨달았기 때문이리라.

그래도 가끔은 멋있는 말을 하고 싶다. 그런 말을 하는 사람이 되고 싶다. 멋있는 말, 좀 있어 보이는 말, 뭔가 아주 다른 말, 그런 말을 하며 아랫것들과 다른 세상에서 사는 취흥을 느끼고 싶은 것이다. 그럴듯한 거짓말로 나를 감추며, 아니 지워버리며 살고 싶은 것이다. 실은 그래서 시를 쓰는지도 모른다.

보잘것없는 짓이다. 시라는 것은, 그 꿈은 하찮은 것이다. 마치 여치와도 같다. 나는 듯하지만, 고작 두어 걸음쯤 앞에 떨어질 뿐이다. 누가 다가올까 싶으면 더듬이마저 꼼짝 않고 있다가 이게 아니다 싶을 때면 냅다 뛰어서 바로 옆의 풀숲으로 또 숨을 뿐이다. 여치라는 놈이 그렇다.

메피스토펠레스는 인간을 여치와 같다고 비웃었다. 이슬 묻은 축축한 수풀 속에 처박혀서 낡은 노래나 불러대는 인간. 나는 듯하지만, 지상으로부터 벗어날 수 없는 인간. 너무나 불쌍해서 악마조차도 차마 괴롭히고 싶어 하지 않는 그런 인간.

그게 인간이다. 나는 듯하지만, 다시 지상으로 돌아온다. 다른 세상에 가야 할 이유가 없기 때문이다. 인간이니까 그렇다. 신이 아니라서 악마가 아니라서 그저 인간이라서 진흙 묻은 두 발로 걸을 뿐이다. 나는 듯하지만, 나는 게 아니다. 조금 더 멀리 이 지상으로 나아가기 위한 것일 뿐이다.

최초의 인간의 발자국은 낙원에서 쫓겨나는 길 위에 찍혔을 것이다. 인간으로 해방되어서야 비로소 인간의 발자국을 남겼을 것이다. 그 발로 350만 년 전에 또 한 가족이 화산재가 뒤덮인 진흙 계곡을 지나갔으리라. 어린 아이를 데리고 한 가족이 어딘가로 다급히 가고 있었으리라. 살기 위해서였다. 여전히 인간이기 위해서였다.

나는 듯하지만, 또 다른 지상에 안착한다. 잠시 날아서 팔짝 뛰어서 이곳으로 저곳으로 지상으로 진흙 세상으로 퍼져나간다. 인간이라서. 순간을 사는 인간이라서. 오로지 인간이기 위해서. 살아 있기 위해서. 그렇게 자유롭기 위해서.

내 운명이란 어쩌면 보잘것없는 것일지도 모른다. 한 마리 여치에 불과할지도 모른다. 그래도 내가 지어낸 허구가 어떤 꿈이 되고 바람이 되고 현실이 될지도 모른다. 그러면 됐다. 이 세상을 창조하는 것보다 더 해볼 만한 게 어디 또 있겠는가.

청색시선 2

로큰롤 헤븐

ⓒ 김태형 2016

초판 발행 2016년 12월 15일

지은이	김태형
펴낸이	김태형
펴낸곳	청색종이
등록	2015년 4월 23일 제374-2015-000043호
제작	범선문화인쇄
주소	서울시 영등포구 문래동3가 58-11(당산로 8-6)
전화	02-2636-5811
팩스	02-2636-5812
이메일	editor@bluepaperps.com
홈페이지	http://www.bluepaperps.com

ISBN 979-11-955361-3-9

이 도서의 국립중앙도서관 출판예정도서목록(CIP)은 서지정보유통지원시스템 홈페이지(http://seoji.nl.go.kr)와 국가자료공동목록시스템(http://www.nl.go.kr/kolisnet)에서 이용하실 수 있습니다.(CIP제어번호 : CIP2016026281)

값 10,000원